나를 더 사랑하게 하는 퍼스널브랜딩 상담

(퍼스널브랜딩 입문자를 위한 가장 친절한 상담)

나를 더 사랑하게 하는 퍼스널브랜딩 상담
(퍼스널브랜딩 입문자를 위한 가장 친절한 상담)

발 행 | 2023년 12월 11일
지은이 | 완벽한오늘(김지숙)
기획·편집 | 작가의 탄생 1기
펴낸곳 | 리더인컴퍼니
가 격 | 19,000원
출판등록 | 2023-000016호
책 출간 문의 | leedain.leader.in@gmail.com
저자에게 문의 | qkddf@naver.com
ISBN | 979-11-985287-1-1

나를 더 사랑하게 하는 퍼스널브랜딩 상담

퍼스널브랜딩 입문자를 위한
가장 친절한 상담

저자 완벽한 오늘(김지숙)

Personal Brand!

나를 더 사랑하게 하는
퍼스널브랜딩 상담

당신이 하고 싶은 일을 하며,
원하는 삶을 살았으면 해요.

당신 자신을 더 사랑하고,
당신의 특별함을 알아줬으면 해요.

당신은 충분히 그래도 되는 사람이니까요.

당신이 주인공인 삶을 살아가는데
이 책이 조금이라도 도움이 되길 바랍니다.

완벽한오늘 드림

CONTENT

CONTENT

CONTENT

CONTENT

들어가며

안녕하세요.
퍼스널브랜딩 상담하는 동네 책방
'완벽한 오늘'입니다.
이곳은 가상 공간입니다.
하지만 여러분은 책을 읽으며,
영주가 되어 함께 상담에 참여할 수 있습니다.

완벽한 오늘의 상담에
온전히 참여하기 위해서
다음의 몇 가지를 권장드립니다.

첫 번째, 느리게 읽어주세요.
이 책은 자기계발서이지만,
소설이자 에세이이기도 합니다.
빠르게 필요한 정보만을 제공하는 책은 아닙니다.
여러분이 영주가 되어 생각과 실행을 함께 해 보세요.
한 회기 상담을 마무리한 후에는 호흡을 고르고
추천해 드리는 차도 마시며, 책 속 문장도 느껴보세요.
여러분이 진짜 상담의 주인공이 되어보세요.

두 번째, 워크시트를 꼭 작성해 주세요.
워크시트 작성이 우리 상담의 포인트입니다.
좋은 책들을 많이 읽더라도 내 것으로 만드는
시간을 갖지 않으면 독서의 의미가 사라집니다.
워크시트를 꼼꼼히 작성하며 기록을 남기면,
나에 대해 정리할 수 있고,
내 브랜드도 확실하게 설계할 수 있어요.
그리고 작성한 기록들은 내 브랜드의 자산이 됩니다.

세 번째, 끝까지 포기하지 마세요.
우리 브랜드가 성공할 수 있는 가장 확실한 방법은
딱 한 가지!
포기하지 않는 것입니다.
상담을 시작한 지금이 당신에게 기회입니다.
이 기회를 놓치지 말고, 끝까지 마무리하세요.
그러면 당신과 당신의 브랜드는 반드시 성공할 것입니다.
더불어 나 자신을 지금보다 더 사랑하게 될 것입니다.

정성을 다한 오늘이 완벽한 오늘입니다.
당신의 완벽한 오늘을 진심으로 응원합니다.
오늘은 항상 당신 편입니다.
완벽한오늘

Personal Brand!

나를 더 사랑하게 하는 퍼스널브랜딩 상담

Part 1.
퍼스널브랜딩이
뭐예요?

Part 1. 퍼스널브랜딩이 뭐예요?

(1) 영주님. 우리도 늦지 않았잖아요.

오늘   안녕하세요. 상담하는 동네 책방 완벽한 오늘입니다.

영주   안녕하세요. 저는 김영주입니다. 저는 길을 잃었어요.

저는 진짜 제 자신과 제 길을 찾고 싶어요.

저는 아이 둘을 키우고 있는 육아맘입니다. 4살, 6살 남자아이들을 키우고 있어요. 결혼 전에 잠깐 일을 했지만 일을 하며 너무 힘들었어요. 적성에도 맞지 않았고, 특히 함께 일하는 사람들이 저와는 맞지 않았어요. 그래서 결혼하고, 아이를 가진 후에 바로 일을 그만뒀습니다. 너무 스트레스를 받아서 태교에도 좋을 것 같지 않았어요. 그렇게 두 아이를 키우며, 이제는 두 아이 모두 어린이집과 유치원에 보내게 되었어요. 그리고 꿈에 그리던 제 시간을 가질 수 있었죠. 처음에는 친구도 만나고, 집안일도 하고, 드라마도 보면서 그 시간을 만끽했어요.

그런데 시간이 지나자 뭔가 공허한 생각이 들었어요. 오랜만에, 어렵게 확보한 이 시간이 진짜 날 위한 시간인가 하는 생각이 들었고, 그 생각들은 불안으로 이어졌어요. 남편도 아이도 다 자신들의 시간을 가지고, 자신들만의 세계 속에서 성장해 나가는데, 나는 지금 어떤 세계에 속해있고, 나의 삶의 영역은 어디인지 모르겠어요.

다시 일을 시작하자니, 이전 기억이 너무 안 좋아서 다시 할 용기도 안 나요. 잠깐 다시 일을 시작했었는데, 회사 분위기도 그렇고 도저히 안 맞더라고요. 그래서 몇 개월 하다가 그만뒀어요. 이제 와서 다른 일을 시작할 용기도 나지 않고, 뭔가 저만의 일을 하고 싶은데, 무엇부터 어떻게 시작해야 할지도 모르겠어요.

그냥 이렇게 시간만 보내고 있는 것 같다는 생각도 들고, 더 나이 먹으면 다시 시작할 용기는 지금보다 더 안 날 것 같은데 어떻게 해야 할지 정말 모르겠어요.

오늘 　그렇군요. 영주님. 힘든 기억이 있는 일을 다시 하는 것은
　　　쉽지 않아요. 뭔가 새롭게 다시 시작한다는 것은 더 어
　　　렵고요. 아무것도 안 하고 있자니 불안하기도 하고, 공허
　　　한 감정도 드시는 것 같아요.

영주 　네. 맞아요. 어떻게 해야 할지 모르겠어요.

오늘 　우리 영주님. 먼저 드리고 싶은 말씀은 그동안 정말 고
　　　생 많으셨다는 거예요. 임신과 출산, 그리고 육아는 퇴근
　　　시간도 없고, 이렇다 할 성과가 분명하게 보이지 않기도
　　　하죠. 아이가 건강히 잘 자라 주는 것이 가장 큰 성과라
　　　면 성과지만, 내 귀한 시간과 에너지, 노력들이 갈아 넣어
　　　져서 만들어졌다는 것을 보여 줄 근거도 없어요.
　　　그렇게 보이지 않게 애써온 시간을 저는 알아요.
　　　그것들은 아무나 할 수 있는 일도 아니고, 당연하기만
　　　한 일도 아니예요. 영주님이기에 가능한 일이죠. 우리 아
　　　이들은 영주님 덕분에 이 세상에 존재하고 있고, 영주님
　　　덕분에 건강하게 자신의 길로 나아갈 수 있었죠. 남편분
　　　도 마찬가지예요. 영주님 덕분에 일에 집중하고, 뿌리내
　　　리실 수 있었던 거죠. 누가 뭐래도 영주님은 가족과 사
　　　회에 더 예쁜 그림을 그리셨어요. 그건 분명 대단한 일
　　　이예요.
　　　가장 먼저 영주님 자신을 따뜻하게 바라봐주세요.
　　　고생한 나를 알아봐 주고, 안아주세요.

영주 감사해요. 그럴게요.

오늘 이제부터 우리는 영주님만의 브랜드를 만들어나갈까 해요.

영주 저만의 브랜드요? 브랜드라니…. 제 이름으로요? 저는 아무것도 없는데?

오늘 영주님만의 브랜드요. 영주님은 많은 것을 가지고 계세요. 누구보다 특별하고요. 그 특별함으로 영주님만의 브랜드를 만들어 나가봐요.

영주 저의 특별함이라…. 정말 없는 것 같은데…. 그리고 브랜드라는 것도 너무 거창하게 느껴져요. 어렵고….

오늘 요즘 퍼스널브랜딩이라는 단어 많이 들어보셨죠?

영주 네. 들어봤어요. 하지만 너무 어렵고, 저와는 상관없는 단어 같아요.

오늘 그러시구나. 그럴 수 있어요. 퍼스널브랜딩이 다소 거창하고, 어렵게 느껴질 수 있어요. 쉽게 설명하면, 내가 하고 싶은 일이나 내가 할 수 있는 일을 자유롭게 하면서 수익을 창출하는 작업을 바로 퍼스널브랜딩이라고 할 수 있어요. 흔히 프리랜서, N잡러, 디지털 노마드, 부업이라고들 하죠. 이 영역들이 자신의 브랜드를 수익화로 연결시킨 사례들이죠.
      퍼스널브랜딩은 나 자신을 '브랜드'로해서 수익을 창출하고, 비즈니스 등의 마케팅 스토리로 활용하는 것이에요.

잘 만들어진 퍼스널브랜딩은 평생의 생계를 책임져줄 귀중한 수단이 되기도 하죠. 그리고 무엇보다 퍼스널브랜딩을 만들어가는 과정은 나에게 더없이 값진 재산이 되어줘요. 나를 더 알아가고 나를 더 사랑하게 되죠.

퍼스널브랜딩이란?

자신을 브랜드처럼 관리하고 발전시키는 것. '나다움'을 브랜딩하여 수익을 창출하고, 비즈니스를 구축하는 것

영주   그게 가능할까요? 저는 정말 아무것도 없는데….
　　　 그건 인플루언서들이나 하는 거 아닌가요?

오늘   그렇지 않아요. 많이들 퍼스널브랜딩은 인플루언서들의 영역이라고 생각하세요. 하지만 그런 온라인마케팅은 퍼스널브랜딩을 위한 단계 중 하나입니다.

- 퍼스널브랜딩 : 나의 상품 또는 서비스가 돈과 바꿀 수 있을 정도로 가치, 신뢰를 얻기 위해 설계하는 것
- 온라인 마케팅 : 온라인 채널들을 통해 퍼스널브랜드의 가치와 서비스를 홍보, 판매하는 것
- 인플루언서 : 온라인 마케팅에 유리한 요소

오늘 인플루언서는 내 브랜드의 서비스나 상품을 판매하는데 유리한 요소 중의 하나입니다. 그러니 인플루언서가 되는 방법도 퍼스널브랜딩에서는 중요하게 다뤄집니다. 하지만 그것이 전부는 아니에요. 유명해지지 않아도 내 브랜드는 소수에게 신뢰받고, 판매되어가며 영역을 확장해 나갈 수 있어요. 그 과정들을 겪어가며 인플루언서로 자리매김할 수도 있고, 그러면 내 브랜드는 더 크게 성장할 수 있겠죠. 유명 인플루언서가 되지 않아도 내 브랜드의 상품을 판매하는 방법은 다양해요. 우리 주위의 크고 작은 많은 브랜드가 모두 인플루언서들이 운영하는 건 아니니까요. 당장 우리 동네에 아는 사람만 안다는 작은 카페들도 분명 충성고객들에 의해 꾸준히 단골을 늘려가며 성장하고 있기도 하니까요.

영주 그렇긴 하네요. 모든 브랜드가 인플루언서들이 하는 건 아니니깐….

오늘 그렇죠. 하지만 분명한 것은 온라인 마케팅은 퍼스널브랜딩의 중요한 요소 중 하나예요. 그래서 우리의 상담 과정에서 열심히 준비해 나갈 것이고요.

영주 그렇군요. 그런데 더 큰 문제는 제가 뭘 좋아하는지 잘 하는지도 모르겠다는 것이에요. 전 경험도 별로 없고, 지금 무엇인가를 시작하기에는 너무 늦은 것 같다는 생각만 자꾸 들어요. 두렵기도 하고요.

오늘 　괜찮아요. 영주님. 누구나 처음은 힘들어요. 하지만 천천히 차근차근하다 보면 영주님도 모르게 성장해 있을 것입니다.

저는 13년 동안 직업상담을 해 왔어요. 3,000명 이상의 내담자들을 만나 개인 상담을 했죠. 강의를 하며 만난 사람을 포함하면 셀 수 없이 많은 사람을 마주 했어요. 그런데 그 많은 사람들이 공통적으로 가장 많이 하는 말이 있어요.

영주 　무슨 말이요?

오늘 　"제가 너무 늦은 것 아닐까요?"

이 말은 10대 청소년부터 60대 어르신까지 하세요.

특히, 고등학생들이 자신은 너무 늦었으니, 되는대로 아르바이트나 하며 살 것이라고 말해요.

어른의 시선에서 보면 그들이 이렇게 말하는 것은 이해가 안 된다고 생각할 수 있어요. 하지만, 그들은 정말 그렇게 믿고 있었어요. 이런 말을 들으면, 저는 말문이 막혔어요. '이 친구들은 정말 늦었을까?', '그냥 할 수 있는 일로 생계가 가능한 정도의 수익만 벌게 되면, 괜찮은 것일까?', '사람들에게 꿈을 찾는 것은 의미 없거나 늦은 일인가?' 하는 생각이 들었죠. 그런데 그럴 때마다 제가 13년 동안 상담을 하며 가장 인상 깊게 기억된 한 분이 떠올랐어요. 어떤 분일 것 같으세요?

영주　음…. 글쎄요. 원하는 바를 이룬 분 아닐까요?

　　　힘든 상황에서도 최선을 다해서 원하는 곳에 성공적으로 취업한 분? 의지와 열정이 남다른 분이 생각날 것 같아요.

오늘　그렇죠. 반은 맞고, 반은 아닐 수 있어요.

영주　13년 동안 그 많은 사람들 중에 한 분이면 정말 뭔가 특별할 것 같네요.

오늘　맞아요. 그 특별한 한 분 이야기를 들려드릴게요.

영주　좋아요.

오늘　그분은 65세였어요.

　　　월남전에 참전하시고, 피부암과 갑상선암, 혈액암 세 번의 항암 치료를 이겨내셨어요. 거동이 불편하셔서 항상 배우자분 손을 꼬옥 잡고 상담실로 들어오셨죠. 손녀뻘이었던 당시 저에게 항상 "선생님~"하며 깍듯이 대해주셨고, 가끔 과일 등을 챙겨다 주시며, 상담하는 저에게 오히려 따스함을 전해주셨어요.

　　　그리고 그분의 꿈은 저에게 더 큰 인상을 남겼어요. 그분의 꿈은 바리스타였어요. 바리스타를 공부해서 카페를 차리겠다고 하셨죠. 글을 읽는 것도 거동도 불편하지만, 그래도 고향 근교에서 카페를 차리고 맛있는 커피를 사람들에게 전하고 싶다고 하셨어요. 그렇게 그분은 꿈을 이루기 위해 바리스타 학원에 다니고, 로스팅, 라떼아트, 드립 커피 등을 부지런히 배우셨어요. 그리고 정부에서 지원하는 창업지원 사업에 참여해서 간판도 만들고, 메뉴판도 만들고, 인테리어도 구상하셨어요. 상담할 때마다 어떻게 진행되고 있노라며 상기된 얼굴로 이야기해 주시곤 하셨죠. 그분이 오시는 날은 저도 절로 기대가 되었어요. 그분이 나아가는 과정들을 들으며 절로 응원하게 되었죠. 카페를 창업하시면 먼 거리라도 가족들과 놀러가서 함께 축하해드리겠노라 다짐했었어요.

영주 대단 한 분이시네요.

오늘 그렇죠……. 그런데….

영주 왜요?

오늘 그분은 갑작스러운 건강 악화로 세상을 떠나셨어요. 그 소식을 듣고 얼마나 울었는지 몰라요. 너무 안타깝고, 또 너무 슬펐어요.

영주 어머나….

오늘 저는 상담을 하던 중에 말씀드린 것처럼 "너무 늦은 것은 아닐까요?" 하는 말을 들으면 이분을 떠올라요. 그리고 강의하러 가서도 항상 그분의 이야기를 전합니다.

어쩌면 꿈을 이루지 못한 채 멀리 가셨고, 평범하다면 평범한 우리 주변의 할아버지이시지만, 제 생각에는 그분의 삶은 더없이 찬란했어요. 그분은 꿈을 이루는 과정에서 이미 행복해하셨어요. 그분은 더없이 완벽한 삶을 사셨다고 생각해요. 그리고 그분의 이야기는 많은 이들의 귀감이 되어주었죠.

늦었다고 생각할 수 있어요. 그것은 당연하죠.

하지만 그렇지 않다고도 생각할 수 있어요.

그것 또한 당연하죠. 선택은 자신의 몫이에요.

영주　그렇네요. 늦었다고 생각하거나, 늦지 않았다고 생각하거나 선택의 문제가 맞는 것 같아요. 저는 늦었다고 생각해 왔는데, 문득 제가 살아갈 인생이 살아온 인생보다 훨씬 많이 남았는데 왜 그렇게 생각해 왔을까 하는 생각이 드네요. 아마도 저는 제 삶 속의 동굴에 갇혀서 삶 전체를 보지 못했던 것 같아요.

오늘　그럴 수 있어요. 저도 그래요. 언제나 내가 있는 상황과 공간 정도의 크기만 보이니까요. 태풍의 눈 안은 오히려 평화롭다고 하잖아요. 주변에서 어떤 비바람이 휘몰아치는지 태풍의 눈 안에서는 알 수 없어요. 조금 벗어나서 바라봐야 비로소 보이기도 하죠. 그래서 책을 읽거나 다른 사람들의 이야기를 들으면, 조금 다른 관점에서 삶을 바라보게 되기도 하죠.

영주　맞아요. 그런 것 같아요. 저도 늦지 않았어요. 그렇게 선택하기로 제가 맘먹었어요.

오늘　멋지네요.

영주　오늘님은 어떻게 퍼스널브랜딩 상담을 하게 되셨어요?

오늘　맞아요. 저는 13년 동안 직업상담을 해왔고, 항상 직업상담사는 저의 천직이라고 말해왔고, 실제로도 그렇게 생각했어요.

영주　그런데요? 퍼스널브랜딩 상담은 직업상담과는 다른 분야 아닌가요?

오늘　맞아요. 어떻게 보면 퍼스널브랜딩은 직업상담보다 조금 광범위한 상담이라고 볼 수 있어요. 저도 직업상담에서 저만의 퍼스널브랜딩으로 지금의 일을 하게 되었어요.

영주　오늘님의 퍼스널브랜딩 과정도 궁금해요.

오늘　저도 처음 퍼스널브랜딩을 시작할 때는 막막했어요.

저는 어느 순간 문득, 재도약을 해야 할 시점이라는 확신이 들었고, 갑작스럽게 퇴사를 결심했어요. 그리고 막연하게 생각했던 것 같아요. '어디에 소속되지 않고, 내가 주도적으로, 나만의 방식으로 사람들을 돕는 일을 할 수는 없을까' 하는 생각이요. 그런데 내가 주도적으로 뭘 할 수 있을지, 어떤 길이 있는지, 어떤 준비를 해야 할지 모르겠더라고요.

영주　오늘님도 그러셨구나. 그래서 어떻게 하셨어요?

오늘　그때 읽었던 책이 자청 <역행자>였어요. 나는 안 될 사람이라는 자의식을 해체하고, 당장 실행하도록 이끄는 강력한 책이었죠. 그리고 성공을 위해서는 책을 읽고, 글을 써야 한다는 내용이 강조되었어요. 책에서는 실행을 강조하며, 테스트를 하나 했어요. 이 테스트를 통과해야 성공할 수 있다고 했죠.

영주　어떤 테스트였는데요?

오늘　지금 당장 블로그에 글을 올리라는 것이었어요. 블로그에 어떤 글이든 지금 바로 올리는 것으로 성공의 가능성을 증명 해 보이라는 것이죠.

영주 그래서 올리셨어요?

오늘 네. 이 부분을 읽고, 바로 블로그에 글을 올렸어요. 마침 그 부분을 읽고 있을 때에 좀 황당하고, 감동적인 에피소드가 생기기도 했거든요. 그래서 그때부터 바로 실행을 시작했죠. 나는 성공할 사람이라는 것을 스스로에게 증명하려고요.

영주 와~ 대단하시네요. 블로그에 글을 쓰는 건 좀 부담스럽고 어렵게 느껴지는데….

오늘 그만큼 간절했던 것 같아요. 그리고 책에서 말한 대로 책을 읽고 글을 쓰기 시작했어요. 그때부터 7개월 동안 100권이 넘는 책을 읽었어요. 그리고 책 리뷰를 썼죠.

영주 진짜요? 대박

오늘 저도 영주님처럼 간절했었거든요. 길을 찾고 싶은 욕구가 정말 컸고요. 책을 읽을수록 내가 어떤 책을 더 읽어야 할지 방향성이 생기더라고요. 그래서 독서를 계속 이어갈 수 있었어요. 그리고 블로그를 본격적으로 시작했고, 온라인에서 내 길을 찾는 방법들을 이것, 저것 시도해 봤어요. 인스타그램도 하고, 유튜브 채널도 개설하고, 홈페이지도 만들어 보고, 브런치에 글도 써보고, 이것저것 많이 시도해 봤던 것 같아요. 그렇게 이런, 저런 시도를 해 보니, 제게 맞는 방법도 있고, 맞지 않는 방법도 있더라고요. 그때 나를 더 잘 알아야겠다는 생각을 했어요. 저는 저에 대해 잘 알고 있다고 생각했는데, 생각보다 잘 몰랐더라고요. 그래서 내가 하고 싶은 것들과 내 강점들을 연결 시킬 방법들을 본격적으로 고민했죠. 나는 어떤 사람이 되고 싶고, 나는 사람들에게 어떤 메시지를 주고 싶은지 생각했어요. 아주 치열하게….

영주 그러다가 길을 찾으신 거예요?

오늘 네. 그 길이 한 번에 확 찾아지지는 않았어요. 그렇게 고민하다가 알게 되었죠. 저는 책방을 하고 싶었고, 사람들에게 상담을 해 주고 싶었다는 것을….

그리고 그 상담이 직업상담에 국한된 것이 아니었다는 것을요. 물론 직업상담 중에 심리상담이나 진로 상담이 포함되지만, 그것보다 더 광범위한 분야에서 사람들 저마다의 특별함을 알아봐 주는 상담을 하고 싶었다는 것을 알았어요. 그리고 그것이 퍼스널브랜딩 상담이라는 결론에 도달했죠.

영주 퍼스널브랜딩 상담이 저마다의 특별함을 알아봐 주는 상담이군요….

오늘 네. 저는 그렇게 느껴졌어요. 그렇게 본격적으로 퍼스널브랜딩을 공부하기 시작했어요. 제가 시도했던 활동들도 가지치기하고, 퍼스널브랜딩 관련 도서들을 읽기 시작했죠. 퍼스널브랜딩을 직접 돕는 책들부터, 책을 좀 더 효과적으로 읽기 위한 독서법, 브랜드 메시지를 전하기 위한 글쓰기, 브랜드 기획, 마케팅, 카피라이팅, 동기부여 등의 분야를 다양한 책들을 읽으며 공부했어요. 사람들의 정체성을 발견하기 위한 심리학 공부도 더 했고요.

영주 우와~ 그렇게 많은 공부를 저도 해야 해요?

오늘 아니요. 영주님은 제가 공부한 것들 중에 영주님께 필요한 것들만 뽑아서 단계별로 알려드릴 것이에요. 걱정하지 마세요. 공부는 딱 제가 하라고 하는 것만 하시면 됩니다. 책으로 의자에 앉아서 하는 공부 외에도, 사람들을 관찰하고, 다른 브랜드들을 분석하는 것도 공부예요. 그런 공부들 어떻게 하시는지 천천히 알려드릴 것이에요. 그대로만 하시면 됩니다. 걱정하지 마세요.

영주 네. 다행이네요. 근데 그래서요? 그렇게 공부로 방법도 찾고, 여기까지 온 거예요?

오늘 네. 책으로도 공부하고, 혼자 고민도 많이하고, 직접 브랜드를 세상에 알릴 온라인 채널들도 운영했죠. 저는 인스타그램과 블로그를 중심으로 활동했어요. 그리고 그 채널들을 운영하며, 점점 더 내가 누구를 돕고 싶고, 어떤 방법으로 도와야 할지 방향성이 뚜렷해졌죠. 블로그는 글을 쓰며 생각을 정리하기 좋았고, 인스타그램은 소통하며, 사람들이 원하는 것과 좋아하는 것을 알아보기에 좋은 채널이었어요.

영주 그렇군요. 오늘님도 오늘님만의 브랜딩을 만드는데 고생이 많으셨네요.

오늘 저도 심리적으로 불안하기도 하고, 막막하기도 했어요. 이 길이 맞나…. 내가 전하고 싶은 메시지를 사람들이 좋아할까? 이런 방법들이 사람들에게 도움이 될까? 이런 서비스가 사람들이 돈을 주고받고 싶을 만큼 가치가 있을까? 이런 생각들이 계속 머릿속을 맴돌았어요. 정말 치열했고, 고단하기도 했죠. 하지만 저만의 브랜드를 설계하고 나니 어떤 확신이 생겼어요.

영주 어떤 확신이요?

오늘 제 브랜드가 누군가에게는 도움이 될 수 있겠다는 확신이요. 그리고 제 브랜드를 개척하고 확장해 나갈 수 있겠다는 확신이요.

영주 그런 확신이 들 수도 있는 거예요?

오늘 그럼요. 퍼스널브랜딩 설계를 촘촘하게 할수록 그다음 해야 할 행보들이 확실해져요. 그리고 주도적으로 몰입해서 나아갈 수 있게 되죠. 그렇게 해서 지금 여기까지 올 수 있었어요. 사람들과 좀 더 가까운 동네 책방에서 퍼스널브랜딩 상담을 하고, 저처럼 사람들이 책으로 도움을 받았으면 하는 마음으로 도움이 될 책들을 추천하는 일을 하게 되었죠.

영주 오늘님의 퍼스널브랜딩은 성공하셨네요?

오늘 저는 꿈이 이루어졌죠. 분명한 것은 그 성공의 시작점은 제 자신이 늦지 않았다는 선택을 한 것부터였어요. 그리고 제가 꿈을 향해 나아가는 그 과정은 그 자체로 귀한

제 브랜딩 스토리가 되고 있어요. 퍼스널브랜딩의 매력은 과정에 초점을 맞춘다는 것입니다. 나를 발견해 가는 과정, 내가 성장하며 시행착오를 겪는 과정들까지도 귀한 재산들이 되지요. 사람들은 고난을 헤쳐나가며 꿈을 이루는 스토리를 좋아하거든요. 퍼스널브랜딩은 시작하고자 하는 마음만 있으면 당장, 하나씩 무엇이든 하면 됩니다. 그것부터가 브랜딩의 재산이 되니까요.

영주 그렇군요.

오늘 시작하고자 하는 마음만 먹으면 할 수 있는 것들은 많아요. 그리고 할 수 있어요. 너무 고민하지 않아도 돼요. 퍼스널브랜딩은 언제든 내가 원하면 수정도 삭제도 가능해요. 저도 제 브랜딩을 설계하는 과정에서 수도 없이 수정하고, 삭제해 왔어요. 그것들은 크게 문제가 되지 않아요. 오히려 치열한 고민의 흔적들로 남아서 더 자랑스럽게 느껴지죠. 그렇게 내 브랜드를 내가 만들어가는 과정에서 나 자신을 더 사랑하고 자랑스럽게 여기게 돼요. 그것만으로도 저는 충분히 의미가 있다고 생각해요. 내 브랜드의 주인은 바로 '나'이니까요.

'나'를 위해 시작하고, 실행한다면 그것만으로 퍼스널브랜딩에 성공 요건은 충분해요.

영주 어떤 성과나 결과보다 내가 주인이 되는 삶을 찾는 과정이 퍼스널브랜딩인 것 같네요.

오늘 맞아요. 그래서 저는 항상 말씀드려요. 퍼스널브랜딩은 나를 더 사랑하게 되는 과정이라고. 무라카미 하루키 <도시와 그 불확실한 벽>에 이런 문장이 있어요.

믿는 마음을 잃어서는 안 된다는 것입니다.
무언가를 강하고 깊게 믿을 수 있으면 나아갈 길 은 절로 뚜렷해집니다. 그럼으로써 이다음에 올 격렬한 낙하를 막을 수 있을 겁니다.
혹은 그 충격을 크게 누그러뜨리거나요.

영주님 자신을 믿으세요. 믿음은 나를 일으켜 세우 고, 나아갈 수 있게 해요.

영주 음…. 네…. 그럴게요.

오늘 차 한잔 드시겠어요? 허브차 좋아하세요? 라벤더차 있 는데, 향도 좋고, 스트레스와 피로감 완화에 좋아요.

영주 네. 감사해요. 잘 마실게요.

■ 퍼스널브랜딩을 시작하기 전 해야할 우리의 3가지 선택

1. 고생한 자신을 안아주는 선택
2. 늦지 않았다고 생각하는 선택
3. 자신을 믿고 시작하는 선택

선택은 우리의 몫입니다. 분명한 것은 스스로, 당연히, 원하 는 선택을 할 수 있다는 것입니다. 우리 선택하고, 집중해요.

(2) '진짜' 평범한 사람들도 퍼스널브랜딩에 성공했어요.

영주   퍼스널브랜딩이라는 것이 정확히 뭘 말하는지 감이 잘 잡히지 않아요.

오늘   그럴 수 있어요. 그래서 우리 주변의 평범한 사람들이 어떻게 퍼스널브랜드를 만들어냈는지 이야기를 들려드릴까 해요. 어떠세요?

영주   좋아요. 궁금해요.

오늘   <초보운전, 서툴지만 나아지고 있어>의 저자 리더인님은 10대 때 엄마가 되었습니다. 현재는 18년째 남편과 중고등학생 자녀들과 행복하게 살고 있죠. 당시에는 인생이 끝났다는 느낌과 함께 '패배자'라고 생각했다고 해요. 사람들의 시선은 차가웠고, 잘못한 것도 없는데 왠지 뭔가 크게 잘못을 한 것처럼 느껴졌죠. 눈물과 노력으로 힘들게 그 시간들을 버텨왔었다고 해요. 그러다 어느 순간 그런 생각이 들었는데요.

"우리 아이들에게는 자랑스러운 사람이 되고 싶다"

그리고 책을 쓰기로 맘을 먹었는데요. 열심히 강의도 수강하고, 책도 읽고, 작가들도 분석해서 글을 써나갔는데요. 그렇게 갖은 노력 끝에 바라던 책 출판에 성공했고, 그 책은 많은 사람들의 공감을 얻으며, 주간 베스트셀러로 등극했어요. 그리고 이후 리더인님의 브랜딩은 본격적으로 펼쳐졌어요. 책 홍보를 위해 인스타그램 채널을 운영하기 시작했고, 독립출판사 '리더인컴퍼니', 책 출판으로 퍼스널브랜딩을 완성하는 '브랜딩앤북스 연구소'를 설립했어요. 진정한 개인 브랜드이죠.

오늘 '브랜딩앤북스 연구소'에서는 자신의 경험과 노하우를 바탕으로 책을 출간하고 싶은 작가 지망생들을 모집해서 무료로 책 출간 챌린지를 진행했어요. 7주 가량을 책을 쓰고 싶은 20여명을 모집해서 컨설팅 비용도 받지 않고 컨설팅해 준 거죠. 보통 책 출간 컨설팅은 몇십만 원에서 몇백만원까지 가격이 천차만별이에요. 하지만 리더인님은 무료 컨설팅에 더해 책 인쇄 제작비, 유통 수수료, 세금 등을 제외한 모든 인세 수익 100%를 작가분께 드렸어요. 엄청난 재능 나눔이죠. 자기 브랜드를

쌓아서 수익화에 더해 선한 영향력을 펼치는 아주 대표
적인 사례예요.

영주 대단하시네요.

오늘 맞아요. 엄청난 분이시죠. 쉽게 할 수 없는 일이에요.
그분은 이렇게 자신만의 브랜드를 알리고, 세상에 자신
만의 메시지를 전했어요.

영주 부럽네요. 저도 그럴 수 있는 날이 올까요?

오늘 물론이죠. 영주님도 가능해요.

영주 또 없어요? 다른 사례도 이야기해 주세요.

오늘 <독서의 기록>이라는 책을 쓴 저자의 이야기를 들려드
릴게요. 이분은 평범한 워킹맘이었어요. 오랜 세월 직장
생활을 했지만, 갈증이 있었어요. 워킹맘들이 그렇듯 회
사 일과 집안일, 육아까지 정말 자기 시간이 없어요.
쫓기듯 하루하루를 보내고, 최선을 다하는 것은 그저 습
관처럼 몸에서 배어 나오지만, 그것이 무엇을 위한 것인
가, '나' 자신을 잃고 사는 건 아닌가 하는 생각이 들
때가 있죠. 어느 순간 회사의 일은 생계로만 느껴지고,
정말 내가 하고 싶은 일이 무엇인가 하는 생각이 들었
데요. 자기계발을 꾸준히 했지만, 아웃풋은 나오지 않고,
돈과 시간만 소비되는 느낌이 들고는 하고요. 그러다 어
느 날부터 책을 읽기 시작했다고 해요. 그리고 블로그에
하루에 한 개씩 독서 리뷰를 지속적으로 남겼어요. 꾸준
히 소통하고, 책 리뷰 외의 다른 경험들도 부지런히 기

록으로 남겼어요. 그분은 그렇게 5개월 후 도서인플루언서가 되었어요.

오늘 이 분은 2년 반 동안 850권 이상의 책을 읽고 800권 이상의 독서 리뷰를 남겼어요. 이후 블로그 강의, 독서 클럽 운영 등의 활동을 하며 자신의 꿈도 이루고, 많은 사람에게 영감을 주고 있어요. 그리고 도서 블로거라는 자신만의 브랜딩으로 '독서의 기록'이라는 책을 출간했고, 현재 3쇄를 발행하며 더 많은 이들에게 읽히고 있어요. '꿈꾸는 유목민'이라는 블로그 계정이 바로 이 사례의 주인공 안예진 작가님의 계정입니다. 저는 작가님과 인스타그램을 통해 소통하고, 북토크도 참여해 봤어요. 자신의 성장 과정을 가감없이 전달하시는 안예진 작가님은 진솔하면서도 날카롭게 꼭 필요한 메시지들을

전해주셔서 더 인상 깊었어요. 제가 막 브랜딩을 시작하고, 얼마 되지 않은 시점인데도 불구하고, 먼 지방까지 기꺼이 북토크를 와주시겠노라고 약속해 주신 분도 안예진 작가님이셨어요. 책 속의 메시지를 실천하고, 내 삶에 적용해 나가며 꾸준히 꿈을 향해 성장하는 퍼스널브랜딩의 상징적 사례죠.

영주   와~ 이분도 멋지네요.

오늘   그렇죠. 성품도 책 내용도 너무 좋아서 찐 팬이 되었어요. 함께 대화하면 좋은 에너지를 받을 수 있을 것 같은 분이세요.

영주   이런 이야기 너무 재미있어요. 다른 분 한 분만 더 들려주시면 안 돼요?

오늘   음…. 그럼 이번에는 육아맘이었다가 엄마들의 자기계발과 재테크 콘텐츠로 자신만의 브랜딩을 쌓아 올린 분을 소개할게요. 이분도 평범한 엄마였어요. 대학을 갓 졸업하고 은행원 생활을 하다가 결혼 후 둘째 아이를 낳은 뒤 모든 사회생활을 접고 육아에 전념했어요. 아이와 함께 하는 시간은 보람도 있고, 즐거움이 느껴지기도 했지만 때때로 지치고 지루한 시간이 이어졌데요. 아이와 놀아주다 보면 하루가 금방 가고, 공허함이 드는 건 어쩔 수 없는 것 같아요. 그러다 우연히 디지털 노마드라는 단어를 접하고 유튜브를 시작했데요. 영상편집도 서툴고, 콘텐츠도 이것, 저것 다양하게 다 시도해 봤데요. 그리고 차 안에서든 어디든 시간 나는 대로 휴대폰으로 영상을 촬영하고, 혼자 공부하고 휴대폰 앱으로 영상을 편집해서 올렸데요. 스스로가 컴맹이라고 생각되는데 그것도 솔직하게 내보이며 콘텐츠로 승화시켰어요.

오늘　그렇게 1년이 넘었지만, 수익은 0원이었데요. 그런데 2년 차에 처음 들어온 수입이 10만원이었고, 점점 '나다움'이 경쟁력이 되어 더 많은 수익을 창출했어요. 그리고 <엄마는 오늘도 유튜브에 출근한다> 등 5권의 책을 출판했죠. 이 이야기의 주인공은 유튜브 '소사장소피아' 채널을 운영하는 크리에이터이자 두 아이의 엄마 박혜정님입니다.

영주　정말 무작정 시작하셨나 보네요.

오늘   그랬죠. <엄마는 오늘도 유튜브로 출근한다>에서는 단
      점이 문제가 아니라 단점을 바라보는 자신의 관점이 문
      제라고 했어요. 모르는 것은 똑같이 모르는 사람들과 공
      감대를 형성하고, 역으로 전문가에게 묻는 콘텐츠로 승
      화시키기도 했어요.

영주   대단하네요. 그런데 이야기를 들어보면, 이분들은 처음
      부터 뭔가 평범하지 않았던 것 아닐까요? 이렇게 실행
      한다는 그것부터가 특별하신 것 같은데….

오늘   그런가요? 영주님은 평범함과 특별함의 차이가 뭐라고
      생각하시는데요?

영주   음…. 뭔가 대단한 무엇인가를 가진 사람은 특별하고,
      가지지 못한 사람은 평범한 것 같아요.

오늘   음…. 맞는 말씀이시네요.

영주   그렇죠. 저는 뭔가 대단한 것이 없어서…. 뭔가 무기가
      있어야지 앞선 사례처럼 성공할 수 있을 것 같아요.

오늘   영주님도 그 대단한 것이 있다면요?

영주   저한테요?

오늘   앞선 사례의 세 분의 공통점이 뭐라고 생각하세요?

영주   음…. 글쎄요. 어떤 분은 육아맘이시고, 어떤 분은 워킹
      맘이시고…. 운영 채널도 다르고…. 각각 다른 방법으로
      성공하신 것 같은데요.

오늘   맞아요. 그런데 세 분은 브랜딩 성공을 이끄는 한 가지 공통점이 있어요. 뭘까요?

영주   그게 뭐죠? 모르겠어요. 그냥 알려주세요.

오늘   제가 너무 유도 질문을 했나요? 죄송해요.
이 세 분의 공통점은 그냥 하셨다는 것입니다.
그냥 해야겠다고 해서 하셨어요. 그게 다예요.

영주   네? 그게 무슨….

오늘   세 분 다 그냥 하셨어요. 환경도 다르고, 성향도 다르고, 주제도 다르고, 방식도 다르지만 세 분은 해야겠다고 마음먹고 일단 시작하셨어요. 그리고 포기하지 않고, 계속하셨죠. 우리 영주님이 제일 잘할 수 있는 그 대단한 것이 바로 이거예요.

영주   제가 잘할 수 있는 대단한 것이요?

오늘   우리 영주님. 일단 시작하시기로 했죠? 마음먹었잖아요. 우리…. 그리고 계속하실 거잖아요.

영주   네…. 그렇긴 하죠…. 그렇긴 해요…. 마음먹었어요.

오늘   그 대단한 것을 영주님도 가지고 있는 거예요. 퍼스널브랜딩은 아프리카 기우제 같은 거예요. 될 때까지 하는 거예요. 그럼 결국 비가 오죠. 승률은 100% 예요.

영주   너무 오래 걸리는 것 아니에요?

오늘   그러니 좀 더 빨리 비가 올 수 있도록 더 열심히 방법을 찾아봐야죠. 그렇죠?

영주   맞아요. 결국, 비는 오게 되어있어요. 비가 올 때까지 할 거니깐…. 그리고 좀 더 빨리 비가 올 수 있도록 더 열심히 해 볼게요.

오늘   역시 영주님은 대단하세요.

영주   어머…. 뭘요……. 정말 저도 뭔가를 해 보고 싶어졌어요. 이전에 저는 제가 뭔가를 시작한다는 것이 너무 막막했어요. 그리고 제 일이 아니라고 생각했죠. 저는 너무 평범하니까요. 하지만 우리 주변의 평범한 분들이 이렇게 이루어내시는 것을 보니, 저도 너무 평범하지만 뭔가를 시도해 보고 싶다는 생각이 들어요. 저도 해 볼래요. 정말 저도 해 보고 싶어요. 도와주세요.

오늘   영주님. 멋지시네요. 간절한 마음은 언제나 가장 값진 보물입니다. 그리고 그 보물은 아무에게나, 아무 때나 오는 것이 아니죠. 지금이 아니면 만질 수 없는 귀한 영주님의 보물을 지금부터 더 값지게 사용 해 봐요.

■ 퍼스널브랜딩에서 가장 중요한 3가지

1. 일단 하기   2. 그냥 하기   3. 무조건하기

(3) 영주's 브랜딩 이제 시작해 볼까요?

영주　그래도 역시 퍼스널브랜딩은 막연해요. 해봐야겠다는 마음도 있고, 열심히 할 의지도 있어요. 그런데 정말 무엇부터 어떻게 해야 할지는 모르겠어요. 마음은 먹었는데 여전히 막막해요.

오늘　그럴 수 있어요. 아직은 막막하죠. 그래서 퍼스널브랜딩이 어떤 순서로 이루어지고, 어떤 부분이 중요한지 설명드려볼까 해요.

영주　네. 좋아요. 지금 딱 그 부분이 궁금한 것 같아요.

오늘　퍼스널브랜딩은 크게 자기 발견, 브랜드 마케팅, 수익화 3가지로 생각하면 돼요.

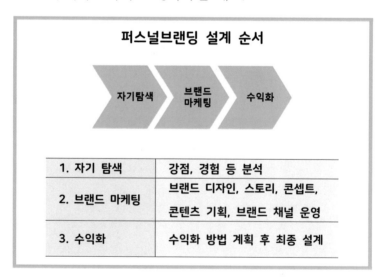

퍼스널브랜딩 설계 순서

자기탐색 → 브랜드 마케팅 → 수익화

1. 자기 탐색	강점, 경험 등 분석
2. 브랜드 마케팅	브랜드 디자인, 스토리, 콘셉트, 콘텐츠 기획, 브랜드 채널 운영
3. 수익화	수익화 방법 계획 후 최종 설계

자기 발견은 나의 퍼스널브랜딩의 목적과 정체성을 찾는 것이고, 브랜드 마케팅은 내 브랜드를 세상에 알릴 '영주의 방'을 꾸려가는 단계예요. 주로 초기에는 방을 온라인에 꾸미죠. 온라인에 방을 꾸미는 익숙한 세 개 채널이 유튜브, 블로그, 인스타그램입니다. 그리고 수익화는 사람들에게 돈과 바꿀 가치가 있는 서비스 또는 상품을 제공하기 위해 우리는 어떤 방향으로 나아가야 할지 계획하는 것이죠. 이렇게 세 단계를 종합해서 최종 3년 이내의 퍼스널브랜딩 추진 전략을 설계합니다.

영주　아~ 그렇군요. 그런데 저는 브랜드 수익화는 생각해 보지 않았는데요. 저는 제 자신에 대해 무엇이든 발견하고, 그것을 보여주는 것으로 만족해요. 수익화까지는 기대도 안 해요. 협찬 같은 것만 받아도 좋을 것 같아요.

오늘　그럴 수 있죠. 수익화는 먼 이야기라고 느껴질 수 있어요. 그런데 사람들은 어떤 서비스 또는 상품이든 재화로 바꿀 정도의 가치가 있어야 그것을 신뢰해요. 그러니 우리 브랜드가 돈을 주고 살 정도로 가치 있는 서비스를 구상해야겠죠? 그래야 사람들에게 신뢰를 받을 수 있으니까요. 수익화를 처음부터 고려하는 것은 그런 마음가짐을 위해서도 필요한 것이죠.

영주　아~ 그렇군요.

오늘 그리고 수익화는 우리 브랜드를 지속하게 해요. 돈도 안
되는 일을 계속 붙잡고 에너지를 쏟는 것보다는 좋아하
는 일을 하고 돈까지 벌면 좋잖아요. 또한 브랜드 수익
화는 브랜드를 확장해 나가는 동력이 될 수 있어요. 수
익이 있어야 우리 브랜드는 다른 뭔가를 시도할 수 있
고, 우리 브랜드가 필요한 누군가에게 더 많은 도움을
줄 수 있어요. 이렇게 수익화는 우리 브랜드의 목표이자,
우리 브랜드의 정체성의 다른 이름이기도 해요.

영주 무슨 말씀이신지 알 것 같아요. 그런데 정말 제 콘텐츠
를 돈을 주고라도 보고 싶어 하게 될까요?

오늘 물론이죠. 돈을 주고라도 함께 하고 싶어 할 상품 또는
서비스를 우리가 만들어 낼 것이니까요. 그게 바로 퍼스
널브랜딩 설계이죠.

영주 그렇군요. 근데 저는 수익화하는 것이 좀 어려운 것 같
아요. 제가 알기로는 블로그 게시물에 어떤 링크를 클릭
하면, 블로그 주인에게 광고 수익 같은 것이 가는 것은
들어봤어요. 유튜브 구독자가 많으면 수익이 발생한다는
것도 들었고요. 그런데 다른 방법들도 많이 있나요?

오늘 생각보다 수익화하는 방법은 다양합니다. 말씀하신 것처
럼 인스타그램이나 블로그, 유튜브에 구독자나 팔로워,
조회 수가 많이 나오면 수익화 신청을 해서 광고 수익을
얻을 수도 있고요. 책을 쓰거나 강의를 하는 방식이나,

모임을 운영하는 방법, 대신 홍보를 해 주며 홍보비를 받는 방식, 공동 구매나 직접 판매하는 등 내 브랜드로 서비스나 상품을 판매할 수 있는 방식은 다양해요.

영주 그렇네요. 정말 다양한 방식이 있네요.

오늘 어떤 방식으로 돈을 벌지는 천천히 생각해 보면 되고요. 그 방법에 따라서 영주님의 브랜드 콘텐츠 방향은 달라질 수 있어요. 돈을 줄 사람이 누구인지, 서비스를 제공할 사람은 누구인지 등에 따라서요. 아직은 여기까지는 복잡하실 수 있어요.

영주 네. 실은 아까부터 집중이 안 되고 있었어요.

오늘 그렇죠;;; 그럴 수 있어요. 그건 나중에 설명할 타이밍이 오면 자세히 말씀드릴게요. 대충 퍼스널브랜딩 순서는 이해가 되셨을까요?

영주 네. 어느 정도 이해된 것 같아요.
나를 알아보고, '영주의 방'을 꾸리고, 콘텐츠를 올리고, 돈을 번다…. 실행하기 위해 계획한다?

오늘 맞아요. 그 정도면 충분합니다. 세부 단계들은 해나가면서 알아가시면 되니까요.

영주 네. 그럴게요.

오늘 이제 시작하면 되겠네요. 다음 회기에 세부적인 단계들을 한 번 더 설명해 드릴게요.

Personal Brand!

나를 더 사랑하게 하는 퍼스널브랜딩 상담

Part 2.
퍼스널브랜딩 어떻게 시작해야 해요?

Part 2. 퍼스널브랜딩
어떻게 시작해야 해요?

(1) 불안한 퍼스널브랜딩, 이렇게 하면 실패하지 않아요.

영주   저 이제 정말 본격적으로 저만의 브랜딩을 만들어 보고
       싶어졌어요. 이제 뭐부터 어떻게 하면 될까요?

오늘   영주님. 본격적이라니 왠지 기대되네요.
       우리 영주님. 육아도 쉽지 않고, 새로 시작하는 도전이
       두렵기도 할 텐데 큰 용기 내셨어요. 잘하셨어요.

영주 감사해요. 저도 앞서 들려주신 사례 속 사람들처럼 내 브랜드로 뭔가를 펼치고 싶어졌어요. 사람들에게 좋은 기운을 전하고, 저처럼 멈춰있는 사람들에게 저도 도움을 주고 싶어요.

오늘 그것을 선한 영향력이라고들 하죠.

영주 맞아요. 선한 영향력이요. 근데 솔직히 어떻게 무엇으로 어떤 선한 영향력을 펼쳐야 할지는 모르겠어요. 저 어떻게 하면 되는 거예요?

오늘 선한 영향력이라는 것이 광범위하고, 어렵게 느껴지죠. 선한 의도가 다른 사람에게도 온전히 전해져서 그들에게 도움이 되었으면 해서 더 그렇죠. 많이들 그 마음이 너무 커서 어떻게 무엇부터 해야 할지 막막해하는 것 같아요. 우리는 지금부터 한 단계, 한 단계 선한 영향력을 펼칠 방법을 구상할 것입니다.
퍼스널브랜딩 상담은 총 8단계로 진행됩니다.

영주 8단계나요? 엄마야~ 언제 다해요? ㅠㅠ

오늘 우리 영주님의 몰입 에너지면 생각보다 오래 걸리지 않을 것 같은데요? 그리고 말씀드린 것처럼 너무 조급해하지 않으셔도 돼요. 우리 영주님은 반드시 브랜딩에 성공해서 선한 영향력을 펼치게 되실 거예요.

영주 감사해요. 그만 놀라워하고 진정해 볼게요.

오늘 8단계를 간략히 설명해 드려볼게요.

1단계는 퍼스널브랜딩의 목적과 목표설정입니다. 구체적으로 목적과 목표를 설정할수록 계획이 뚜렷해져요.

2단계는 내가 지금 좀 더 집중해야 하는 부분이 어디인지 파악해 보는 거죠. 자기 탐색이 될 수도 있고, 정보 수집이 더 필요할 수도 있어요. 어쩌면 무엇보다 자신감을 먼저 충전해야 할 수도 있고요. 어떤 부분을 보충하는 것이 우선되어야 할 될 것인지 먼저 알아보고 그것에 에너지를 더 할애하는 것이죠.

3단계는 자기 자신을 탐색하고 분석해야죠. 나의 강점과 가치관, 흥미, 경력, 경험 등 사소한 단서도 놓치지 않고 자신을 살펴봐야 해요. 그리고 탐색해 본 '나'를 중심으로 카테고리 속에서 경쟁력이 있는지를 알아봐야죠.

4단계는 브랜드 콘셉트를 잡는 일입니다. '영주의 방'을 꾸미는 일이죠. 브랜드명과 자신만의 스토리, 우리 브랜드의 주인공인 타깃을 설정하는 것이죠. 앞으로 우리는 내가 아닌 타깃을 주인공이라고 부를 것입니다. 내 브랜드의 '주인공'은 '타깃'입니다.

5단계는 브랜드 콘텐츠를 기획해 볼 것입니다. 주인공에게 '영주의 방'에서 어떤 방식으로 양질의 콘텐츠들을 전달할지 계획하는 것이죠.

6단계는 브랜드 채널을 운영하는 것이죠. 채널별 운영

방식과 브랜드 채널을 운영하기 위한 정보들을 드리고, 소통을 어떻게 하는 것이 좋고, 어떻게 신뢰를 쌓아갈지 생각해 볼 것입니다.

7단계는 브랜드를 확장해 나가는 방법을 알아볼 것입니다. 수익화 방법들을 설계하고, 나의 브랜드의 주인공들과 더 많이 연결될 수 있는 방법을 알아볼 것입니다.

8단계는 앞서 정리한 것들을 바탕으로 세부 추진 계획을 설계해 볼 것입니다. 바로 실행만 하면 될 수 있게 한눈에 보이는 설계안을 만들어봐요.

단계가 너무 많게 느껴지나요?

영주 네. 좀 많네요….

오늘 그럴 수 있어요. 그런데 영주님. 우리가 큰 케이크를 먹을 때 보통 어떻게 먹죠?

영주 갑자기 케이크이요? 음…. 케이크라….

오늘 우리는 케이크를 한 번에 다 먹을 순 없어요. 그래서 조각을 나눠서 접시에 덜어서 먹죠. 우리가 고민을 해결하는 방식이나 새로운 어떤 일을 하는 방식도 그것과 비슷해요. 큰 고민은 쪼개서 해결할 수 있는 것부터 차례대로 해결해 나가면 돼요. 큰 일을 시작할 때에도 마찬가지입니다. 지금 할 수 있고, 해야 하는 것부터 차근차근 해나가면 돼요. 그러면 어느새 우리는 케이크를 다 먹어 치우게 되고, 케이크는 우리 뱃속으로 들어가 있겠죠?

영주   맞아요. 케이크 하나 순삭이죠.

오늘   우리 퍼스널브랜딩이라는 케이크를 한 조각씩 맛있게 먹어요.

영주   네. 그럴게요. 하나씩, 하나씩 먹어볼게요. 갑자기 티라미슈 생각이 간절하네요. 아메리카노에.

오늘   티라미슈와 아메리카노는 없는데, 믹스커피에 에이스는 어떠세요?

영주   와~~ 너무 좋죠. 우리 믹스커피에 에이스 찍어 먹어요. 너무 오랜만인데 잊을 수 없는 꿀 조합이죠.

오늘   네. 오늘은 간식 먹고, 다음에 1단계부터 시작하는 것으로 해요.

영주   네. 좋아요.

■ 퍼스널브랜딩 상담 8단계

1단계 : 목적 및 목표설정
2단계 : 퍼스널브랜딩 TEST
3단계 : 자기 탐색
4단계 : 브랜드 콘셉트 잡기
5단계 : 브랜드 콘텐츠 기획
6단계 : 브랜드 채널 운영
7단계 : 브랜드 확장, 수익화 계획
8단계 : 퍼스널 브랜드 종합 설계

(2) 막막한 퍼스널브랜딩 시작, 이것부터 하세요.

영주　오늘은 날씨가 참 좋아요. 이제 정말로 무엇인가를 시작한다는 것이 왠지 설레요.

오늘　너무 다행이에요. 두려움보다는 설렘으로 시작한다는 것은 큰 의미가 있어요. 물론 두려운 감정이 든다면, 그것이 몰입에는 도움이 될 수 있지만, 역시 설레는 쪽이 좀 더 마음이 즐거워지죠.

오늘은 1단계 목적과 목표설정 해 보도록 할 것입니다. 먼저 우리 영주님 말씀드렸던 필기도구 챙겨오셨나요?

필기도구는 우리 영주님이 정말 맘에 드는 것으로 필기감이 좋은 것으로 준비하시기를 추천해 드려요. 그래야 워크시트를 작성하는 과정도 즐겁거든요.

이제부터 상담 과정에서 제시 드린 워크시트를 작성하시면 돼요. 컴퓨터나 모바일이 편하시면 아래 방법으로 온라인으로 작성도 가능합니다.

이 책에 바로 작성해도 되고, 컴퓨터나 휴대폰으로 워크시트에 접속해서 작성해도 되고, 우리 영주님 편한 방법으로 따라오시면 됩니다.

< 온라인으로 워크시트 작성하는 방법 >

1. QR코드 워크시트 접속

2. 우측 상단 복제버튼 클릭 *복제 후 작성 가능

Personal Brand!

나를 더 사랑하게 하는 퍼스널브랜딩 상담

나를 더 사랑하게 하는 퍼스널 브랜딩 상담

이 사이트는 나를 더 사랑하게 하는 퍼스널브랜딩 상담 책의 온라인 워크시트들이 있습니다.

**해당 링크 상단의 '복제 버튼'을 누르고,
노션 로그인 후 편집이 가능한 점 참고 해 주세요.**

아래 사이트 활용방법을 참고하셔서 작성하시면 됩니다.

3. 워크시트 번호 확인

나의 퍼스널브랜딩 설계하기

주임단계	내용	주요내용
1단계 - 목적 설정	목적 정리	《워크시트 1》 시간과 에너지를 절감한 수익형 목표 현실적, 구체적 설정 Tip. 목표 금액, 기준은 정해할 수 있는 시간과 에너지에 세세함>
2단계 - 퍼스널 브랜딩 장벽 탐색	장벽 유형별 추진 전략 화...	《워크시트 2-3》 나의 브랜딩 설계 과정의 장벽요인 파악하고 개선 해 나가기
3단계 - 자기 탐색	경험 분석 가치관 찾기 나의 브랜딩 예정 나의 키워드 탐색 SWOT분석 카테고리 분석	《워크시트 4-5》 경력, 경험, 자격, 흥미, 가치관 최대한 작성하고 분석하기 Tip 1. 사소한 단서도 놓치지 않고 기록해 보기 Tip 2. 관심 카테고리에 대입해서 SWOT 분석하기
4단계 - 브랜드 콘텐츠	브랜드명 한줄소개 슬로건 주력분야 스토리 나의 키워드 탐색	《워크시트 6-10》 나의 브랜드의 주연공(타깃)과 그들에게 전하고 싶은 메세지 찾... Tip 1. 주연공(타깃)을 설정하고 경쟁사 분석하기

4. 나의 퍼스널 브랜딩 설계
→ 단계 선택
→ 열기
→ 워크시트 작성

오늘 퍼스널브랜딩의 첫 단계는 목적과 목표를 명확하게 아는 것입니다. 내가 무엇을 위해 퍼스널브랜딩을 하고 싶은지 스스로 알려주세요. 목표 금액이나 꿈이 크면 좋겠지만, 그만큼 많은 시간과 에너지를 할애해야 합니다.

여기에서 포인트는 지금 나의 환경과 여유 시간 등을 고려하여 실현 가능한 목표를 설정하는 것입니다. 목표가 비현실적이면, 조급해지고 지칠 수 있어요.

퍼스널브랜딩의 목표는 인스타그램 팔로워나 블로그의 조회 수, 유튜브의 구독자 등의 브랜드 채널 수치가 아니라 나만의 브랜드로 만들어 낼 수익화 방법과 규모입니다. 브랜드 채널 수치는 홍보의 일환이거나 많은 수익화 방법 중 일부에 필요한 세부 목표에 포함되는 것이에요.

영주 네. 그런데 저는 당장은 수익화는 감이 안 와서 어떻게 해야 할지 모르겠는데요?

오늘 그럴 수 있어요. 그래서 단기, 장기 목표설정을 할 것입니다. 단기 목표는 '협찬' 정도면 충분하고, 장기적으로 다른 무엇인가를 바라볼 수도 있겠죠.

영주 네. 그럴 수 있겠네요.

오늘 <워크시트 1>에 지금 생각하는 목적과 목표 금액 등을 작성해 보세요. 단, 말씀드린 것처럼 영주님이 할애할 수 있는 시간과 에너지에 비례해서 세우셔야 합니다.

영주 네. 그럴게요.

< 워크시트 1 > 나의 퍼스널브랜딩 목적, 목표 설정하기

1. 나의 퍼스널브랜딩 목적(중복 가능)

- ☐ 커리어개발(내 커리어에 도움이 될 것 같아서)
- ☐ 경제적 자유(수익 창출을 위해)
- ☐ 사회적 안정(가족과 사회에 인정받고 싶어서)
- ☐ 자아정체성 확립(진짜 나를 찾고 사랑하고 싶어서)
- ☐ 개인 창업(창업을 준비 중이거나, 진행 중이어서)
- ☐ 기타

2. 나의 퍼스널브랜딩 구체적 목적 작성해 보기

3. 나의 퍼스널브랜딩 단기 목표(6개월~1년 이내)

- ☐ 협찬이면 충분하다
- ☐ 월 100만원 이하
- ☐ 월 100~200만원
- ☐ 월 200~500만원
- ☐ 월 500만원 이상
- ☐ 비즈니스 확장
- ☐ 개인 창업
- ☐ 기타

4. 나의 퍼스널브랜딩 중기 목표(1~3년)

- ☐ 협찬이면 충분하다
- ☐ 월 100만원 이하
- ☐ 월 100~200만원
- ☐ 월 200~500만원
- ☐ 월 500만원 이상
- ☐ 비즈니스 확장
- ☐ 개인 창업
- ☐ 기타

5. 나의 퍼스널브랜딩 장기 목표(3년 이후)

    ☐ 협찬이면 충분하다   ☐ 월 100만원 이하
    ☐ 월 100~200만원   ☐ 월 200~500만원
    ☐ 월 500만원 이상   ☐ 비즈니스 확장
    ☐ 개인 창업   ☐ 기타

6. 현재 내가 퍼스널브랜딩을 위해 1일 실행 가능 시간

    ☐ 30분   ☐ 1시간
    ☐ 1~3시간   ☐ 3~5시간
    ☐ 5시간 이상   ☐ 10시간 이상

7. 내가 퍼스널브랜딩을 위해 지출하거나 지출 예정인 금액

    ☐ 10만원 이상   ☐ 10~50만원
    ☐ 50~100만원   ☐ 100만원 이상

8. 현재 당신에게 퍼스널브랜딩은 몇 순위이며, 그 이유는?

9. 당신의 목표가 시간, 비용, 에너지에 부합되는지 검토해 보세요.

영주 저는 아직 수익까지는 생각도 안 해 봤는데, 왠지 수익을 작성하니 진짜 뭔가를 하게 되는 것 같네요. 아직 수익까지 생각할 단계는 아니라고 생각했어요. 조금 막연하게 '팔로우가 증가하면 수익이 생기겠구나….' 하는 생각만 했던 것 같아요.

오늘 맞아요. 대부분 그러세요. 물론 팔로우나 구독자, 블로그 조회수가 증가하면 그것으로 수익을 창출할 수 있어요. 하지만 다른 방식으로 파이프라인을 단계별로 구축할 수도 있어요. 우리는 수익을 어떻게 좀 더 안정적으로 유지할 수 있을지도 생각해야죠.

영주 그렇게 말씀하시니, 기대되기도 하는데 부담이 되기도 해요. 퍼스널브랜딩이 왠지 더 어렵게 느껴지기도 하네요.

오늘 이해해요. 그럴 수 있어요. 하지만 중요한 것은 그런데도 불구하고 지금 할 수 있는 것을 단계별로 해나가는 것이죠. 우리는 케이크를 작게 나눠서 한 조각씩 먹으면 돼요. 지금, 이 워크시트를 작성한 이유는 말씀드린 것처럼 현재 내가 목적하는 바와 목표하는 바를 인지하고 정리하는 것에 있어요. 현재 목표가 크다면 나는 더 많은 시간과 에너지, 자원을 투자해야 해요. 하지만 목표가 크지 않다면, 더 적은 시간과 에너지를 할애해도 되죠. 영주님의 현재 상황, 환경에 시간 확보가 어려운데, 목표가 높으면 쉽게 지치고 목표 지점까지 도달하기 힘들어요. 무엇보다 중요한 것은 지치지 않고 하는 것이죠.

영주　그런 것 같네요. 욕심만 가지고 따라주지 않으면 그것만큼 스트레스받는 일이 없어요.

오늘　맞아요. 그리고 현재의 목적에 따라 설계 방향성을 달리할 수 있어요. 현재 자아정체성 확립이 목표라면 시장보다는 나에게 조금 더 집중해서 설계 방향을 조절할 수 있죠. 물론 시장을 배제할 수는 없지만, 비율을 좀 더 내쪽으로 가져오는 것이 만족감이 크겠죠. 그리고 나의 목적을 자아 정체감 확립이라는 것으로 정리했으니 시장에 반응이 느리게 와도 좀 더 받아들일 수 있어요.

영주　맞네요. 이해했어요. 목적을 적어보며 내 브랜딩을 통해 어떤 것이 채워졌을 때 만족할 수 있는지를 알아볼 수 있겠네요. 그런데 목적이나 목표가 바뀌어도 되는 거죠?

오늘　물론이죠. 현재는 이렇게 시작했는데, 나중에는 바뀔 수 있죠. 중간에 목적과 목표를 다시 작성해 보는 것도 좋아요. 그 과정들을 모아두고, 내가 어떻게 변화되었는지를 살피는 것도 재미있죠.

영주　그렇네요. 재미있겠어요. 저도 중간에 다시 한번 작성해 봐야겠어요.

■ 목표와 목적 설정할 때에는 이것만 기억하세요.
→ 내가 투입 가능한 시간, 에너지에 적합한 목표인가요?

(3) 영주님. 퍼스널브랜딩 TEST 해 보실래요?

오늘   영주님. 오늘은 테스트를 해 볼까 해요.

영주   테스트요? 시험 보는 거예요? 저?

오늘   아니요. 시험은 아니고요. 간단한 테스트예요.
영주님이 어떤 것을 조금 더 보완하면 좋을지를 생각해
보는 테스트예요.
부담 갖지 않으셔도 돼요.

영주   다행이네요. 테스트라고 하니깐 뭔가 좀 두려웠어요.

오늘   그러지 않으셔도 돼요. 재미있는 테스트입니다.
<워크시트 2>의 질문에 매우 그렇다, 그렇다, 보통이다,
그렇지 않다, 매우 그렇지 않다고 답변하시면 됩니다.
답변 후 항목별로 답을 합산해서 옆 칸에 합산 점수를
넣으세요. 그리고 가장 높은 점수가 나온 순으로 아래
칸에 작성하시면 돼요.

영주   네. 해 볼게요.

오늘   하시고 바로 이어서 <워크시트 3>의 결과표를 보고, 내
가 집중해야 할 활동에 대해 정리하면 됩니다.

< 워크시트 2 > 나의 퍼스널브랜딩 TEST

유형	문항	매우 그렇다	그렇다	보통이다	그렇지 않다	매우 그렇지 않다	점수
A	퍼스널브랜딩이 무엇인지 잘 모르겠다.	5	4	3	2	1	
	어떤 방법으로든 수익화만 가능하면 된다고 생각한다.	5	4	3	2	1	
	SNS 활용기술만 있으면 충분하다고 생각한다.	5	4	3	2	1	
	내 삶에서 브랜딩을 왜 가져야 하는지 모르겠다.	5	4	3	2	1	
B	내 적성을 모르겠다.	5	4	3	2	1	
	내 흥미를 모르겠다.	5	4	3	2	1	
	나의 강점을 모르겠다.	5	4	3	2	1	
	내가 무엇을 중요하게 생각하는지 모르겠다.	5	4	3	2	1	
C	SNS 활용기술이 부족하다.	5	4	3	2	1	
	퍼스널브랜딩을 위한 정보를 수집하는 방법을 모르겠다.	5	4	3	2	1	
	수익화 방법을 모른다.	5	4	3	2	1	
	타깃, 경쟁사, 트렌드 정보가 부족하다.	5	4	3	2	1	
D	어떤 콘텐츠를 전달해야 할지 모르겠다.	5	4	3	2	1	
	어떤 것부터 해야 할지 모르겠다.	5	4	3	2	1	
	아이디어는 있으나 어떻게 풀어내야 할지 모르겠다.	5	4	3	2	1	
	브랜드로 수익화까지 가는 그림이 그려지지 않는다.	5	4	3	2	1	

	시작하는 것이 망설여진다.	5	4	3	2	1	
E	퍼스널브랜딩을 위한 시간 확보가 어렵다.	5	4	3	2	1	
	하고 싶지만 현재 하는 일 때문에 마음의 여유가 없다.	5	4	3	2	1	
	마음만큼 계속해서 실행하기가 쉽지 않다.	5	4	3	2	1	
F	나는 어떤 결정을 내리기가 힘들다.	5	4	3	2	1	
	중요한 결정을 내릴 때 우물쭈물하는 경향이 있다.	5	4	3	2	1	
	나는 매사에 소극적이다.	5	4	3	2	1	
	내가 끝까지 잘 해낼 수 있을지 모르겠다.	5	4	3	2	1	

1. 문항별로 해당 점수에 체크하기
2. 체크한 점수를 유형별로(A~F) 합산하기
3. 유형별 점수순으로 아래에 작성하기
예) A→B→C→F→E→D / A,B→C,D→E→F

< 워크 시트 3 > 나의 퍼스널브랜딩 TEST 정리하기

1. 테스트 결과

유형	유형명	유형 특징	실천 전략	실천 방법
A	**"체리리포터"** 브랜딩성공 스토리를 인터뷰해요!	"퍼스널브랜딩을 왜 해야 해?"	동기 부여	퍼스널브랜딩 이해 - 성공적 브랜딩 사례 탐색
B	**"딸기디바"** 당신을 위해 노래해요!!	"나에 대해 잘 모르겠어."	자기 탐색	경력, 경험, 흥미, 가치관 등 탐색 - 마인드맵, 장점일기 - 지인에게 물어보기
C	**"망고모험가"** 브랜딩 정보를 탐험해요!!	"어떤 방법이 있고, 무엇을 준비해야 할지 모르겠어"	정보 수집	정보수집 - 타깃, 경쟁사, 트렌드 분석 - SNS 활용 정보 - 마케팅 정보
D	**"디자인레몬"** 당신만의 브랜딩을 그려요!!	"브랜딩 설계가 어려워"	퍼스널 브랜딩 설계	콘텐츠, 수익화 연결 사례 수집 - 콘텐츠 기획 방법들 구상 - 수익화 경로, 소통방법 탐색

E	"오렌지액션"
	실행력이
	필요해요!!
		"실행이 힘들어"	실행용
			장치
			걸기
				시간 관리
				- 시간관리 계획
				- 지속적 활동을
				  위한 로드맵
				- 알람, 주변 환경
				  개선, 모임가입

F	"수박스타" 자신감을 가져요!!	"내 브랜드를 만들어갈 자신이 없어"	자신감 고취	대외활동 참여 - 자신감 일기 - 자신감 포인트 - 독서

2. 내가 집중해야 할 활동에 대해 정리해 보세요.

영주 　이 테스트 너무 재밌네요. 근데 저는 높은 점수가 너무 많은데 집중해야 힐 것들 다 적어요?

오늘 　이 테스트는 나 스스로 퍼스널브랜딩의 어떤 부분에서 보완이 필요하고 어려워하고 있구나 하고 생각해 볼 수 있는 도구입니다. 문항 중 영주님이 '매우 그렇다'라고 표시한 부분은 영주님이 현재 어려워하고 보완이 필요한 부분이죠. 그러면 현재 어떤 단계이든 이 부분을 보완하기 위해 미리 어떤 액션을 취할 수 있죠. 바로 한 번에 다 하라는 것은 아니고요. 그 중 내가 할 수 있는 것들이 있는지 살펴보고 보완해 나가면 됩니다. 그리고 <워크시트 3>에 내가 집중해야 할 활동들에 대해 정리해서 작성해 보면 돼요. 말씀드린 것처럼 우린 단계별로 다 해 볼 예정이지만 현재 부족한 것들은 틈틈이 채워 나간다면 더 단단하고 빠르게 성장할 수 있으니까요.

영주 　그럼 저는 딸기 디바와 망고 모험가 두 유형에 해당하니, 실천 활동 중 장점일기를 써 보고, SNS 채널을 미리 개설해 보고, 관련 책을 사서 읽을게요. 그리고 유튜브를 통해서도 공부해 볼게요.

오늘 　좋아요. 그럼 그런 활동들을 구체적으로 어떻게 할 것인지 하단에 적어보면 좋겠죠? 예를 들면 '장점일기는 매일 밤 10시에 하루를 돌아보며, 휴대폰 메모지에 작성' 이런 식으로 구체적으로 작성해 보는 거죠. SNS 채널 정보를 알기 위해 '도서를 구매해서 매일 오전 10시에 30분 동안 읽기' 이렇게요.

영주 그렇게 구체적으로요?

오늘 네. 무엇보다 실천하는 것이 중요하니까요.

영주 이렇게 적으면 될까요?

> **2. 내가 집중해야 할 활동에 대해 정리해 보세요.**
>
> ■ 실천전략 : 자기 탐색, 정보 수집 필요
> ■ 실천 활동
> - 노트 구매해서 나의 퍼스널 브랜딩 정리하기
> - 인덱스 필름으로 3개로 나눠서 매일 작성하기
> 1. 장점일기 : 매일 밤 11시에 일기장을 마련해서 오늘 발견한 장점일기 쓰기
> 2. SNS채널 정보 : 관련 도서 1권 바로 구매, 아침 9시에 30분 동안 읽기
> 3. SNS채널 정보 : 오후 8시부터 30분 동안 유튜브로 알게 된 사항 정리

오늘 와~ 너무 좋네요. 잘하셨어요. 노트를 구매해서 한 곳에 다 메모하면 나중에 정보를 다시 찾을 때 수월하죠. 노트도 좋고 '노션'이라고 요즘 많이 사용하는 온라인 작업공간인데, 일종의 사이트라고 보시면 돼요. 우리가 워크시트를 온라인으로 작성할 때에 사용했던 사이트입니다. 노션은 앱도 있고, 컴퓨터로도 접속 가능합니다. 한 번에 볼 수 있게 정리하기 좋아요. 휴대폰으로 메모하고, 캡쳐도 하는데, 그것들을 한곳에 모아서 열어볼 수 있다고 보시면 돼요. 링크도 걸어서 바로 클릭해서 찾을 수 있고, 그림 삽입이나 데이터 정렬 등이 쉬워서 요즘 많이 사용하고 있어요.

영주 아~ 그런 게 있어요? 사용이 어렵지 않아요?

오늘   맞아요. 조금 어렵다고 하시는 분들도 많아요. 하지만 사용하다 보면 확실히 편하더라고요. 처음에는 기능을 다 사용하지 않고, 그냥 메모하는 용도부터 사용하시고, 천천히 사용하는 기능을 늘려가도 좋을 것 같아요. 나의 브랜딩을 운영할 때는 정말 유용해요.

> **■ 노션 www.notion.so**
> **메모, 문서, 지식정리, 프로젝트 관리, 데이터베이스, 공개 웹사이트 등의 기능을 하나로 통합한 서비스**

영주   네. 한 번 들어가 봐야겠네요.

오늘   테스트는 어땠어요?

영주   저는 부족한 부분이 너무 많아서 무엇부터 해야 할지 막연했었어요. 머리가 복잡해지고, 심각하게 느껴지기도 했어요. 그런데 마지막에 정리한 것처럼 하나씩 하나씩 할 수 있는 것을 해나가야겠다고 생각하게 되었어요.

오늘   역시 우리 영주님은 성장캐세요.

영주   성장캐요?

오늘   성장하는 캐릭터요. 영주님. 오늘 하늘 보셨어요? 하늘은 우리가 얼마나 높이 올라갈 수 있는지를 보여준대요. 오늘의 하늘은 우리의 무한한 가능성을 보여주기 충분한 것 같네요. 그럼 다음 단계에서 또 만나요.

Personal Brand!

나를 더 사랑하게 하는 퍼스널브랜딩 상담

Part 3.
저만의 차별화
어떻게 해요?

Part 3. 저만의 차별화는 어떻게 해요?

(1) '진짜 영주의' 정체성은 이렇게 찾아요.

영주 저의 정체성을 정말 모르겠어요. 내가 어떤 사람인지도
　　　모르겠어요. 저번에 다짐했던 SNS 활용기술을 익히려고
　　　인스타그램 계정을 하나 더 개설했어요. 유튜브는 엄두
　　　가 안 나고, 블로그는 글을 쓴다는 것이 부담스러워서
　　　그나마 사용했었던 인스타그램이 가장 쉽게 느껴졌어요.
　　　그런데 사진도 몇 개 못 올리고 있어요.

오늘   이전에도 인스타그램을 사용하셨었군요?

영주   네. 하지만 이전에는 아이 사진과 여행 사진 같은 것만 올렸어요. 인스타그램이 말 그대로 사진 보관용이었던 것 같아요. 보관한 사진을 제 지인과 공유하는 용도 정도로만 사용했죠. 그리고 다른 사람들의 일상을 구경하는 것에 그쳤던 것 같아요.

오늘   그런데 드디어 진짜 '영주의 방'을 꾸린 것이네요.

영주   맞아요. 그런데 정말 뭘 올려야 할지 모르겠어요.

일단 육아를 하니깐 아이 사진으로 공감대를 만들면 팔로우가 늘지 않을까 생각했어요. 하지만 생각보다 팔로우가 늘지 않고, 반응도 별로 좋지 않아요. 팔로우가 늘면 제 게시물이 사람들에게 공감받는 것 같은데, 팔로우가 늘지 않으니 뭔가 혼자 길을 못 찾고, 벽에 대고 소리 지르는 느낌이에요. 내가 뭘 말하고 싶은지, 나의 정체성, 차별점이 무엇인지 모르겠어요.

오늘   이해해요. 영주님. 이제 정말로 영주님에 대해서 자세히 알아볼 시간이에요.

영주   그걸 하면 제가 인스타그램에 뭘 올려야 할 것인지 알 수 있을까요?

오늘   그럼요. 영주님의 강점과 경험을 하나, 하나 정리해서 자신을 더 깊이 분석해 볼 것입니다. 이 자료들은 나중에 영주님의 브랜드 콘셉트나 스토리를 구성하는 것에도 영감을 줄 것입니다.

나의 강점 찾기

오늘   우리 영주님이 생각하는 영주님의 강점은 무엇일까요?

영주   제 강점이요? 흠…. 그게 가장 어려워요. 저는 강점이 없는 것 같아요.

오늘   강점을 너무 크게 생각하지 않아도 돼요.

남들과 비교해서 강점이 되는 점을 찾아도 되지만, 비교하지 않고 그냥 스스로 생각했을 때에 '이건 내가 나쁘지 않은 것 같아'라고 생각되는 점을 하셔도 돼요. 누구나 강점이라고 생각하는 기준이 달라요. 어떤 사람은 자신에게 엄격해서 다른 사람과 비교해서 월등했을 때에만 강점이라고 생각하고는 해요. 반면 어떤 사람은 자신에게 너그러워서 자신의 작은 성취들을 찾아내어 강점이라고 자신 있게 이야기하죠. 어떤 것이 정답이라고 할 수는 없어요. 저마다의 특성이니까요. 하지만 지금은 자신을 좀 더 너그럽게 바라보는 쪽을 택했으면 해요.

영주   그래도 역시 저의 강점이 무엇인지 모르겠어요.

오늘   저는 몇 번 밖에 못 뵈었지만, 우리 영주님 강점이 너무 잘 보였는데요?

영주   제 강점이요?

오늘   네. 영주님은 강점이 아주 많았어요.

그중 몇 가지를 말씀드려보면, 우리 영주님은 첫 상담을 와서 솔직하게 저에게 자신의 감정과 상태를 표현해 주셨어요. 아무리 상담이라도 첫 회기부터 처음 보는 사람에게 자신을 진솔하게 털어놓을 수 있는 사람은 별로 없어요. 그런데 영주님은 저와 충분히 정서적 교류를 하셨어요. 그리고 우리 영주님은 하고자 하는 것에 집중해서 바로 실행하셨어요. 계정도 만들고, 운영하며 겪은 시행착오들도 부지런히 정리했어요. 또 영주님은 저와의 약속을 책임감 있게 지키셨죠. 어쩌면 영주님의 가정도 바로 그 영주님의 책임감으로 지금의 안정적 환경을 유지할 수 있었을 것입니다.

영주　이건 다들 이렇지 않아요? 저는 그냥 당연히 해야 하는 것들을 했을 뿐인데요.

오늘　그렇지 않아요. 상담을 하다 보면 많은 사람이 말해요. "당연한 거 아니에요?" 또는 "다들 그렇지 않아요?"라고요. 하지만 다 그렇진 않아요. 세상에는 변수도 많고, 다양한 사람들이 있으니까요. 불가피한 상황이 생겨서 약속을 지키지 못하거나, 상황이 좋지 않아서 다음으로 미룰 수도 있어요. 그건 어차피 선택의 문제예요. 하지만 우리 영주님은 그 숱한 불가피한 상황과 변수들 속에서도 약속을 지켰고, 실행해 냈어요. 그건 대단한 것이죠.

영주　아….

오늘 영주님은 스스로가 생각하는 그것보다 더 많은 강점이 있어요. 자신이 발견하지 못했거나 지나쳐버린 것들 속에서요. 다시 한번 천천히 생각해 보시겠어요? 아래 참고 자료를 준비해 봤어요. 두 개의 자료가 있는데, 하나는 34개의 강점 목록이에요. 강점 목록 중 영주님의 강점에 가깝다고 생각되는 것들을 표시해서 정리해 보는 것입니다. 강점 목록을 활용할 때는 다음의 순서를 따라가면 됩니다.

■ 34가지 강점 목록 중 나의 강점 찾기

해당 되는 강점 모두 표시
→ 표시된 강점 중 5개 선택
→ 선택된 5개 강점 중 3개 선택
→ 선택된 3개 장점 순위 정하기

오늘 두 번째 자료는 잘 알려진 MBTI 성격유형 검사 결과에 따른 성격유형 특징과 진로 스타일입니다. 이를 참고해서 자신의 성격과 강점에 대해 생각해 볼 수 있어요.

영주 네. 참고 자료 읽으면서 다시 한번 생각해 볼게요.

오늘 네. 천천히 보시면서 생각해 보시고, <워크시트 4>에 정리해서 작성하시면 됩니다. 참고자료를 활용하시되 혹시 영주님 스스로 명확한 강점이 떠오른다면 읽지 않고 편하게 작성하셔도 돼요.

[참고 자료] 나의 강점 찾기

1. 강점 목록(34가지 강점)

연번	강점	강점설명
1	개발	나는 사람들의 잠재력을 보고, 언제나 사람들의 도전의식을 북돋울 방법을 찾는다.
2	개별화	사람과 사람 사이의 개성과 차이에 주목해서 타인의 강점 예리하게 관찰하고 월등한 부분을 끌어낸다.
3	공감	타인의 감정에 공감하고, 사람들이 필요한 것, 궁금해하는 것 예측하고, 사람들의 마음에 어울리는 목소리를 찾아준다.
4	공정성	균형이 중요하다. 사람들이 어떤 상황에 처해 있는지 똑같이 대해야 한다고 생각하고, 분명한 규칙과 공정한 환경 선호한다.
5	긍정	칭찬에 관대하고 잘 웃으며, 타인에게 열의를 전염시켜 세상을 더 밝게 한다. 어떤 장애가 닥쳐도 유머 감각을 잃어서는 안 된다고 생각한다.
6	미래지향	미래에 가능한 모습을 꿈꾸며, 비전을 떠올리고 생생하게 전달하며 사람들에게 희망을 전한다.
7	발상	아이디어에 매료되고, 복잡한 현상의 근본 원인을 설명해주는 명쾌하고 단순한 원리를 발견할 때 기쁨을 느낀다.
8	배움	배우는 내용이나 결과보다 과정에 흥미를 느낀다. 역동적 업무 환경 속에서 탁월한 능력을 발휘한다.
9	복구	문제 해결을 좋아하고, 증상 분석, 원인 파악, 해결안 찾는데 탁월하다.
10	분석	가치 중립적 데이터를 좋아하고, 데이터에 근거해서 일정한 패턴과 연결고리를 찾아서 결합관계, 결과 귀착 등을 분석한다.

11	사교성	다른 사람을 자기 사람으로 만들고, 자신을 좋아하게 만드는 것을 좋아한다. 인맥 확장에 탁월하다.
12	성취	지치지 않고 장시간 일할 힘을 주고, 새로운 일을 시작하고 도전에 임할 수 있는 추진력을 준다.
13	수집	탐구심이 많고, 수집을 좋아한다. 책의 단어, 인용문, 정보 수집, 카드 수집 등 많은 것에 흥미를 느낀다.
14	승부	비교에 근원을 둔다. 본능적으로 다른 사람들의 성과를 의식하고, 이기기 위해 경쟁하고 승산이 없는 경쟁은 피한다.
15	신념	자신에게 중요한 가치를 흔들림 없이 유지하고, 가정적, 이타적, 영적이다. 책임과 도덕성이 중요하다.
16	심사숙고	신중하다. 미리 계획을 짜는 것을 좋아하고, 위험 요소를 찾고, 한 발자국씩 심사숙고한다.
17	연결성	어떤 일이든 이유가 있어서 일어난 것임을 생각한다. 일정한 책임감을 내포하고 인생의 더 큰 의미를 생각한다.
18	자기확신	스스로 강인함을 믿고, 도전, 권리를 주장한다. 일을 완수하고, 자신의 판단력에도 확신이 있다.
19	적응	현재에 충실하며, 미래는 종착역이 아닌 스스로가 만들어가는 그것으로 생각한다. 유연하고 상황대처에 능하다.
20	전략	혼돈에서 벗어나는 최선의 길을 찾는다. 혼돈 속에 패턴을 발견하고, 장애물을 정확히 파악한다.
21	절친	대인관계에 대한 태도, 이미 알고 있는 사람에게 더 큰 관심을 보인다. 그들을 이해하고 정서를 교류한다.
22	정리	많은 변수가 얽힌 복잡한 상황에서도 가장 효율적인 구성으로 정리한다. 고집이나 회피 대신 혼란에 몸을 던져 새로운 방법 궁리, 방안을 찾는다.

23	존재감	'인정받기'를 원한다. 이 테마를 통해 스스로를 출중한 수준으로 끌어올리고, 도전을 이끈다.
24	주도력	일을 주도하고, 갈등, 대립을 두려워하지 않으며, 의사소통을 분명하고 정확하게 한다.
25	지적사고	혼자만의 시간을 가지며 깊이 생각하기를 즐기며, 문제 풀이, 아이디어 발전, 사람 감정 이해 등 특정 분야에 집중한다.
26	집중	분명한 목적지가 필요하다. 매주 목표를 세우고, 특정 행위가 목표를 향해가는 것에 도움이 되는지를 본능적으로 판단한다.
27	책임	하겠다고 한 것은 끝까지 책임진다. 자신의 평판이 여기에 달려있다고 생각한다. '절대적으로 믿을 수 있는 사람'이라는 평판을 받는다.
28	체계	질서 정연하고 계획되어야 한다. 어떤 일이든 정확히 하고, 정해진 일과, 스케줄, 체계를 선호한다. 유혹, 혼란에서도 전진하고, 생산성을 유지한다.
29	최상화	기준이 최상이며, 강점에 매력 느낀다. 강점을 찾고 최상 수준으로 끌어올리고 싶어 한다.
30	커뮤니케이션	설명하고 묘사하고, 사회보고, 글을 쓰고, 이야기하는 것을 좋아한다. 관심을 고조시키고, 행동에 나서도록 고무시킨다.
31	포용	원을 더 넓히는 것을 인생 철학으로 삼는다. 누군가 소외된 것을 싫어하고, 마음이 넓고 포용적이다.
32	행동	오직 행동만이 실질적인 결과를 가져온다는 것을 내면 깊이 알고, 의사결정이 내려지면 바로 행동한다.
33	화합	서로 동의하는 부분을 찾는다. 사람들의 공통점을 찾고, 공감할 수 있는 현실적이고 실용적인 문제를 이야기한다.
34	회고	과거를 돌이켜보며 해답을 찾는다. 본래의 청사진과 의도를 볼 수 있다.

*출처 : 갤럽 프레스 <위대한 나의 발견 강점혁명>

2. MBTI 성격유형별 특성 및 진로 스타일(16가지 유형)

연번	유형	특성 및 진로 스타일
1	ISTJ	- 신용가, 절약가, 보수파, 준법자 - 한 번 시작한 일을 끝까지 해 냄 실제 사실을 정확하고 체계적으로 기억함. 신중하며 책임감이 강하고, 집중력이 강하고 현실감각이 뛰어나, 일을 할 때 실질적이고 조직적으로 처리함. 체계적이며, 조직력, 정확성을 잘 드러내는 분야 추천.
2	ISFJ	- 보호자, 관리자, 공급자, 봉사자 - 성실하고 온화하며 협조를 잘 함 책임감 강하고, 온정적이며 헌신적, 인내심과 침착성이 강해 조직에서 안정감을 줌. 많은 양의 사실을 기억하고 이용하고, 위기상황에서 차분하게 대처함. 세심한 관찰력과 인간에 대한 관심을 연결 할 수 있는 분야, 조직에 관한 강한 관심 분야 추천.
3	ISTP	- 낙천가, 소비가, 모험파, 개척자 - 논리적이고 뛰어난 상황 적응력을 가짐 인생을 논리적으로 분석하며, 객관적으로 관찰, 사실적 정보를 조직하는 것을 좋아함. '노력절약형'으로 조바심내거나 노력을 낭비하지 않고, 상황이 요구하는 것을 정확히 해냄. 손재주가 많고 도구나 재료를 잘 다루며, 비조직화된 사실을 조직화하는 분야 추천.
4	ISFP	- 예술가, 온정가, 낙천가, 연기자 - 따뜻한 감성을 가지고 있는 겸손함 동정적이며, 따뜻함. 겸손하고 적응력이 좋고, 관용적이며, 여유가 있음. 실질적인 대가보다 인간을 이해하고, 사람들이 기뻐하는 것이나 건강 등에 공헌하는 일. 헌신과 깊은 관심이 필요로 하는 분야 추천.

5	INFJ	- **예언자, 현자, 예술가, 신비가** - **사람과 관련된 것에 통찰력이 뛰어남** 강한 직관력 소유자로 창의력과 통찰력이 뛰어남. 독창적이고, 독립심이 강하며, 확고한 신념과 뚜렷한 원리원칙이 있으며, 인화와 동료애를 중시하여 주변 사람에게 존경받고 사람들이 따름. 사람의 가치, 직관력, 새로운 아이디어와 시도, 통찰력 발휘 분야 추천.
6	INTJ	- **과학자, 이론가, 발명가, 독창가** - **전체적으로 조합하여 비전을 제시함** 행동과 사고에 있어 독창적이며, 내적인 신념과 비전이 강력함. 독립적이고 단호하며, 영감과 목적을 실현시키려는 의지와 결단력, 인내심이 있음. 직관력과 통찰력이 활용, 복잡한 문제를 다루는 것을 좋아하며, 자신이 관심을 갖는 일을 추진시키는 능력이 있음.
7	INFP	- **탐색가, 예술가, 신념가, 이상가** - **이상적인 세상을 만들어 감** 조용하며, 책임감이 강하고 성실함. 자신이 지향하는 이상에 대해 정열적 신념을 가짐. 이해심 많고, 적응력이 좋으며, 개방적임. 관심분야는 완벽주의 경향이 있으며, 자신의 일에 대해 의미를 찾고자 하여 인간 이해, 인간 복지에 기여하고자 함. 자신의 신념에 맞는 분야에 설득력과 독창적일 수 있음.
8	INTP	- **건축가, 철학자, 과학자, 이론가** - **비평적인 관점을 가지고 있는 뛰어난 전략가** 조용하고 과묵하나 관심있는 분야에 대해서는 말을 잘함. 아이디어에 관심이 많고, 분석적, 논리적, 객관적인 비평을 잘함. 일의 원리와 인과관계에 관심이 많고, 이해가 빠르고 높은 직관력으로 통찰함. 지적 호기심을 활용할 수 있는 분야, 이미 알려진 것을 넘어선 가능성을 보는 분야 추천.

9	ESTP	- 활동가, 주창자, 수완가, 촉진자 - 친구, 운동 등 다양한 활동을 선호함 오감으로 보고, 듣고, 느끼고 만질 수 있는 생활을 즐기며, 그 상황, 순간에 무엇이 필요한지 감지하며 많은 사실들을 쉽게 기억함. 어떤 사람이나 사건에 선입관 없이 개방적이고 적응력이 있음. 현실적 문제해결에 뛰어나며, 현재 시스템 또는 환경을 이용하여 목적을 달성할 수 있는 방법을 새롭게 고안. 논리적, 분석적이며, 현실성, 행동과 적응력 요구 분야 추천.
10	ESFP	- 낙천가, 현실가, 접대자, 사교가 - 분위기를 고조시키는 우호적임 친절하고 수용적이며, 현실적이고 실제적임. 어떤 상황도 잘 적응하고 타협적임. 동정적이고, 재치있으며, 사람을 접하는 일에 능숙함. 상식과 실제적 능력을 필요로 하는 분야의 일을 선호함. 밝고 재미있는 분위기 조성을 잘함.
11	ESTJ	- 행정가, 운영자, 사업가, 추진가 - 사무적, 실용적, 현실적으로 일을 많이함 일을 조직하여 프로젝트를 계획하고, 추진하는 능력, 사업이나 조직을 현실적, 사실적, 체계적, 논리적으로 이끌어가는데 타고난 재능이 있음. 업무에 대한 결과가 즉각적이고, 가시적이며, 실제적인 일을 선호하고, 자신의 목표를 세우고 결정하며 필요한 명령을 내릴 수 있는 분야 추천.
12	ESFJ	- 사교가, 봉사자, 친선도모자, 협조자 - 친절과 현실감을 바탕으로 타인에게 봉사함 동정심이 많으며, 친절하고 재치있음. 참을성이 많고, 양심적이며, 정리정돈을 잘함. 다른 사람에게 관심을 쏟고, 인화를 도모하는 일을 중요하게 여기며, 다른 사람을 잘 도움. 사람을 다루고, 따뜻함과 동정심이 필요한 분야 추천.

13	ENFP	- 열성가, 작가, 참여가, 외교술가 - 열정적으로 새로운 관계를 만들어 감 열성적, 창의적이며, 풍부한 상상력과 영감을 갖고 프로젝트를 잘 시작함. 뛰어난 통찰력으로 사람 안에 있는 성장 가능성을 들여다보고, 다른 사람에게 흥미를 유발시킴. 어려움 해결에 독창적이며, 새로운 가능성을 추구하고, 상담, 교육 등 다양한 분야에서 대체로 재능을 보임.
14	ENTP	- 창의자, 활동가, 능력가, 해결사 - 풍부한 상상력을 가지고 새로운 것에 도전함 독창적인 혁신가이고, 창의력이 풍부함. 새로운 가능성을 찾고, 새로운 시도를 함. 넓은 안목과 다방면의 재능, 민첩하고, 자신감이 높고, 박식함. 복잡한 문제 해결에 뛰어난 재능, 지칠 줄 모르는 에너지로 관심 있는 분야는 무슨 일이든 해 내는 능력이 있음. 경쟁적이며 현실보다는 이론이 중요한 분야 추천.
15	ENFJ	- 지도자, 교사, 언변가, 협조자 - 타인의 성장을 도모하고 협동함 동정심, 동료애가 많고, 친절하고 재치있음. 민첩하고, 참을성이 많으며 성실함. 책에 관심이 많고, 이론 파악에 재능이 뛰어난 경향이 있고 이를 청중에게 말하는 데 이용함. 표현하는 것에 천부적 재능이 있고, 사교적임. 사람을 다루고, 행동을 요구하는 분야 추천.
16	ENTJ	- 지도자, 통솔자, 정책자, 활동가 - 비전을 가지고 사람들을 활력적으로 이끌어감 활동적이며, 행정적인 일과 장기계획 선호. 논리적, 분석적, 계획적, 체계적, 솔직하고 결정력과 통솔력이 있으며, 거시적 안목으로 일을 밀고 나감. 새로운 지식에 관심이 많으며, 복잡한 문제나 지적인 자극을 주는 새로운 아이디어에 호기심이 많음. 새로운 해결책을 발견하고 추진할 수 있는 분야 추천.

*출처 : 어세스타 <16가지 성격유형의 특성 : 개정판(2015)>

나의 경험/이력 정리하기

오늘　이번에는 영주님의 경험과 이력들을 한 번에 생각 해 볼게요. 최대한 자세히 기록할수록 도움이 돼요. 잘 생각해 보시고 천천히 작성해 보세요. 작성할 때에 생각해 볼 수 있는 점 몇 가지 알려드릴게요.

영주　작성할 것들이 많네요.

오늘　저희는 지금 단서들을 찾고 있어요. '영주의 방'에 쓰일 단서들이요. 지금 고민한 것들을 말씀드렸던 것처럼 나중에 콘셉트를 잡거나, 브랜드 스토리 구성할 때도 활용되니 이번에 최대한 많은 단서를 찾아두면 좋아요.

영주　네. 그럴게요. 근데 학력은 학교 이름까지 써야 해요?

오늘　아니요. 학교 이름은 중요하지 않아요. 학력에서는 학과가 중요하죠. 그리고 배웠던 과목이나 기술을 추가로 작성하면 좋아요. 예를 들면 경영학과의 경우 마케팅 기술과 인사관리 등을 배웠죠. 식품영양학과의 경우는 음식 조리도 배웠고, 영양학도 배웠고요. 이런 것들을 적는 것에는 이유가 있어요. 만약 조리학과를 졸업했는데, 조리사가 되고 싶지 않다고 해요. 그럼 조리학과에서 배운 음식 관련 지식을 활용할 수 있는 조리 관련 산업 분야에서 다른 직무를 제안할 수 있어요. 예를 들면 푸드아티스트나 식품회사 영업사원, 메뉴개발, 식품

회사 제조원 등으로요.

영주　아~ 그럴 수도 있겠네요.

오늘　그리고 경력도 마찬가지예요. 근속연수와 직무 내용을 작성해야 하는 이유도 비슷해요. 저는 이전에 직업상담사라는 직업으로 일을 했어요. 직무 내용이 많았지만 저는 그 중 코칭과 상담에 주목했어요. 특히 진로 설계가 저의 경쟁력이자 하고 싶은 분야였어요. 그래서 이를 퍼스널브랜딩 상담으로 연결했어요. 근무 기간이 짧고, 크게 관련이 없을 것 같은 경력과 경험들도 연결해 볼 수 있어요. 그러니 최대한 자세히 작성하시기를 권하는 것이죠.

영주　네. 그런데 성과는 뭘 써야 해요? 상 받은 건가요?

오늘　성과는 나온 것처럼 다른 사람이 칭찬했거나 인정해 줬던 사항을 적어도 돼요. 예를 들면, 내가 보고서 작성을 잘해서 자주 칭찬을 받았다거나, 작은 것들을 놓치지 않고 꼼꼼히 잘 챙겨서 칭찬을 받은 일이나, 어떤 사람들은 정보를 깊이 파고들어서 주변 사람들이 믿고 활용한다는 것도 있어요. 그런 경우들을 생각해서 성과로 작성하면 됩니다.

영주　다른 사람한테 칭찬받은 것도 성과가 되나요?

오늘　네. 그것도 성과가 돼요. 인정을 받은 것들은 그만큼 경쟁력이 있다는 것이니까요. 같은 분야에서 칭찬을 자주 들었으면 확률이 더 높겠죠? 그리고 자주 보는 채널은 유튜브 채널 등을 적으셔도 됩니다. 여행 채널을 자주 보는지, 드라마를 자주 보는지, 예능 중심으로 보는지 등을 작성하면 됩니다.

영주 중요하게 생각하는 것들은 무엇을 적어야 하나요?

오늘 내가 가장 중요하게 생각하는 것은 자유롭게 적으시면 됩니다. 살면서 가장 중요하게 여기는 가치를 적어도 되고, 내게 가장 중요한 물건이나 대상…. 뭐든 좋아요. 자유롭게 작성해 보세요. 나의 삶을 돌아봤을 때 가장 기억에 남는 경험도 마찬가지예요. 한 가지를 적어도 좋고, 자주 했던 경험들을 하나로 묶어서 적어도 좋아요. 예를 들면 어릴 때부터 지금까지 꾸준히 해온 캠핑, 등산 등 자유롭게 작성해 보세요.

영주 네. 그냥 최대한 많이 생각해내서 적는 것이 좋겠네요. 근데 갑자기 생각하려니 쉽지 않아요.

오늘 그럴 수 있어요. 생각나는 대로 적고, 나중에 또 생각나면 그때 다시 추가하면 돼요. 한 번으로 끝나는 것이 아니니 걱정하지 마시고, 부담 갖지 마시고 생각나는 그것까지만 적으시면 돼요. 그리고 나중에 생각나면 또 적으시면 되니까요. 그리고 앞 부분에서 생각했던 강점 도 함께 작성해 보시면 됩니다.

질문	답변
학력(학과)	경영학 석사, 심리학 석사 (마케팅, 인사관리, 상담학, 가족심리학, 아동심리학 등)
경력(근속연수, 직무내용 등)	13년 직업상담(심리, 진로 상담, 취업컨설팅, 프로그램 기획 및 운영, 관련 사업 기획 및 보고서 작성, 관련 자료 제작 등)
경험(자기계발, 교육 등)	인문학 강의, 집단상담, 진로상담, 코딩, 일러스트, 포토샵 교육, 클라이밍, 마라톤, 등산, 목공예 등
자격증	직업상담사, MBTI강사, 타로심리상담사, 진로상담사, 스피치코칭지도사, SW코딩전문가, 컴활, 워드, PPT, 운전면허 등
성과(수상, 타인 인정 등)	전국 단위 진로설계 부문 우수사례 선정, 수상 경험 상담을 잘한다. 정리, 구조화를 잘한다. 긍정적이다.
취미	독서, 여행, 캠핑, 등산 등
특기	도전, 정보 구조화, 등산
나의 강점	개별화, 지적사고, 정리 사람들을 개별적으로 보고 장점을 잘 찾아냄, 정리를 잘함
MBTI 성격장점	ENFP 열성적, 창의적이며, 상상력과 영감이 풍부하고, 흥미를 유발함.
자주 읽는 책	자기계발서, 소설, 경영분야
자주 보는 프로그램 또는 채널	여행 예능, 인스타그램, 자기계발 게시물들
주변 사람들이 나에게 자주 하는 말	동기부여가 된다. 수용성이 높다. 목표지향적이다.
존경하거나, 닮고 싶은 사람과 이유	역행자, 많은 사람들을 움직이게 했다. 동기부여의 기회를 제공하고, 실천 로드맵을 제시했다.
내가 좋아하는 문장과 그 이유	나답게 살자
지금 배우거나 경험하고 싶은 것	글 쓰는 방법
내가 중요하게 생각하는 것	타인을 진정성있게 돕는 것, 나를 소중히고 사랑하는 것.
삶에서 가장 기억에 남는 경험	나는 어린 시절부터 가족들과 여행을 많이 다녔다. 친구들과 무전여행, 유럽여행, 제주한달살이 등 여행과 도전을 즐김
다른 조건 없이 지금 하고 싶은 일	책 쓰기, 책방 운영하기
기타 특이사항	20대부터 20개 넘는 아르바이트와 40개 넘는 취미와 자기계발

< 워크시트 4 > 나의 경험/이력 정리하기

질문	답변
학력(학과)	
경력(근속연수, 직무내용 등)	
경험(자기계발, 교육 등)	
자격증	
성과(수상, 타인 인정 등)	
취미	
특기	
나의 강점	
MBTI 성격장점	
자주 읽는 책	
자주 보는 프로그램 또는 채널	

주변 사람들이 나에게 자주 하는 말	
존경하거나, 닮고 싶은 사람과 이유	
내가 좋아하는 문장과 그 이유	
지금 배우거나 경험하고 싶은 것	
내가 중요하게 생각하는 것	
삶에서 가장 기억에 남는 경험	
다른 조건 없이 하고 싶은 일	
기타 사항	

나의 키워드, 카테고리 찾기

오늘   이제 위에서 작성한 강점, 경험 사항들을 중심으로 영주님의 키워드를 찾아볼게요. 영주님이 작성한 것들 중에 자주 등장하는 키워드들을 고르세요. 이어지는 <워크시트 5>의 1번 항목에 작성하면 됩니다. 예를 들면 영주님의 사례를 보면 아이들이 자주 등장하죠? 그리고 잠깐 일했던 곳 역시 아이들을 대상으로 지도하는 일을 했었네요. 아이 육아에 초점이 많이 가 있네요. 주로 그 부분에 에너지를 많이 쓰셨고요. 특히 아이 교육에 관심이 많으시네요. 그리고 집안 살림을 꾸려오시면서 경제 공부도 하고, 금융 상품들도 많이 아시는 것 같은데요?

영주   그건 모든 엄마가 그렇지 않나요?

오늘   모든 엄마가 그렇지는 않아요. 저만해도 아이 교육 중에 학습에는 크게 관심을 두지 않는 편이에요.

영주   그래요?

오늘   네. 아이를 키우고 있지만, 정보도 별로 없어요.

영주   저는 정보를 잘 모으는 편이기는 해요. 주변에서 아이 학습이나 책 같은 것들을 저에게 물어보고는 해요.

오늘   그렇군요. 그러면 영주님 키워드는 아이 학습, 정보 수집, 아이 교육, 경제 지식 등으로 생각해 볼 수 있겠네요. 몇 번이나 관련 단어들이 등장했는지 작성해 보세요.

영주 　 네. 언급 횟수를 숫자를 세어서 적으면 되겠네요.

오늘 　 네. 그리고 2번 항목에 카테고리를 결정할 것입니다. 표 아래 설명을 참고해서 작성하면 돼요. 대분류는 제시된 것들 중에 고르고, 카테고리는 만약 한 가지가 명확하면 2, 3순위는 적지 않아도 됩니다. 중분류는 대분류에서 조금만 더 구체적으로 작성하고, 제공 서비스는 세 가지 중에 하나를 고르세요. 제공 방식은 생각해 보고, 적어보면 돼요. 영주님은 육아를 대분류로 하고, 학습 방법이나 책 정보 또는 자녀 학습 지도 등을 중분류로 작성하실 수 있겠네요. 그리고 3번 항목은 카테고리를 순위별로 적고, 그 중 1순위에 대해서 나의 강점과 약점, 기회, 위협 요인을 적어보는 것이죠. 강점과 약점은 내부요인에 의한 것이고, 기회와 위협은 외부의 환경적인 요인을 말하는 것입니다. 예시 참고해서 적으면 돼요.

영주 　 너무 어려운데, 정보를 좀 찾아봐도 될까요?

오늘 　 물론이죠. 하지만 작성하다 중간에 정보를 찾으면, 흐름이 끊겨서 집중력이 떨어질 수 있어요. 그래서 가능하면, 생각나는 대로 적고, 다 적은 이후에 정보를 수집해서 수정하시기를 권합니다. 한번 집중력이 떨어지면 다시 하기 힘들 수 있거든요. 물론 이 또한 우리 영주님 편한 방법으로 하시면 됩니다.

[작성 방법 및 예시] 나의 키워드와 카테고리 연결하기

1. 나의 키워드 정리하기

자주 사용된 어휘/분야	언급횟수	자주 사용된 어휘/분야	언급횟수
상담 분야	4회	정리요약, 구조화	3회
경영 분야	3회	동기부여	4회
여행, 등산, 캠핑	3회	나 자신을 사랑하자	1회
책	2회		
도전	3회		

2. 나의 관심 카테고리 결정하기

관심순위	카테고리(대분류)	카테고리(중분류)	제공서비스 구분	서비스 제공 방식
1순위	도서	상담, 경영서적	편리함	책 속 인사이트 분석 및 정리
2순위	도서	독서정보	편리함	주제별 책리뷰, 독서법, 독서행사 정보 등
3순위	여행	등산, 캠핑	편리함, 재미	등산, 캠핑 솔직 후기, 관련 상품정보 제공

- 카테고리(대분류) : 아래에서 선택하기
  자산관리, 여행, 패션, IT테크, 자동차, 리빙, 육아, 영화/드라마, 도서, 경제/비즈니스
  어학/교육, 스포츠, 뷰티, 생활건강, 게임, 동물/펫, 운동/레저, 대중음악, 기타
- 카테고리(중분류) : 카테고리(대분류) 중 세분화 직접 구상하기
- 제공 서비스 구분 : '재미, 감동, 편리함' 중 선택하기
- 서비스 제공 방식 : 어떤 방식으로 서비스를 표현 해 낼지 직접 구상하기

3. 카테고리별 SWOT분석

카테고리	질문	답변	질문	답변
도서 /상담, 경영분야	강점 (내부요인)	주요 내용 요약 잘함 글쓰는 것을 좋아함 관련 이력이 있음	기회 (외부요인)	도서 블로그를 운영자 감소 전자책 이용자 수 증가 경영분야에 관심 증가
	약점 (내부요인)	책 읽는 속도가 느림 도서 장르가 편중됨	위협 (외부요인)	1인당 독서량이 감소하는 추세

- 강점과 약점은 나의 내부적 요인/위협과 기회는 외부 환경 또는 상황적 요인 적기

4. 자기 분석 종합

도서/상담,경영분야 도서 및 정보 제공.
책 읽는 속도가 느리지만, 정확하게 인사이트를 뽑아내고, 내용을 구조화해서 표현할 수 있음.
책 속 인사이트 적용 사례 및 방법 등을 제공해서 동기부여 기회를 제공하고, 흥미를 유발.
질 좋은 책 속 인사이트를 가독성 있게 표현.

- 정리한 내용을 바탕으로 내가 겨냥해야 할 카테고리와 방식, 메시지에 대해 정리

< 워크시트 5 > 나의 키워드와 카테고리 연결하기

1. 나의 키워드 정리하기

자주 사용된 어휘/분야	언급 횟수	자주 사용된 어휘/분야	언급 횟수

2. 나의 관심 카테고리 결정하기

관심순위	카테고리 (대분류)	카테고리 (중분류)	제공 서비스	서비스 제공 방식
1순위				
2순위				
3순위				

- 카테고리(대분류) : 아래에서 선택하기

  자산관리, 여행, 패션, IT테크, 자동차, 리빙, 육아, 영화/드라마, 도서,
  경제/비즈니스, 어학/교육, 스포츠, 뷰티, 생활건강, 게임, 동물/펫,
  운동/레저, 대중음악, 기타

- 카테고리(중분류) : 카테고리(대분류) 중 세분화 직접 구상하기
- 제공 서비스 구분 : '재미, 감동, 편리함' 중 선택하기
- 서비스 제공 방식 : 서비스 제공 방향 직접 구상하기

3. 카테고리별 SWOT분석

카테 고리	질문	답변	질문	답변
	강점 (내부요인)		기회 (외부요인)	
	약점 (내부요인)		위협 (외부요인)	

- 강점과 약점은 나의 내부적 요인 적기
- 위협과 기회는 외부 환경 또는 상황적 요인 적기

4. 자기 분석 종합

- 정리한 내용을 바탕으로 내가 겨냥해야 할 카테고리와 방식,
  메시지에 대해 정리

오늘 오늘 여기까지 해서 나의 카테고리가 조금 좁혀졌어요. 이제 다음 단계에서 이 카테고리를 나만의 것으로 어떻게 그려갈지 생각해 볼 것입니다. 오늘 많이 힘드셨죠? 많은 분이 가장 힘들어하는 부분이 키워드 찾기예요. 나의 카테고리를 결정하고 세분화하는 과정 말이죠.

영주 여기까지도 힘들었는데, 제가 잘할 수 있을까요?

오늘 걱정하지 마세요. 미노와 고스케 <미치지 않고서야>에 이런 문장이 있어요.

> 중요한 것은 일단 타석에 서는 것이다.
> 가능한 한 많이 도전하고 실패하며
> 능숙해져야만 한다.

우리 영주님은 가장 중요한 일, 바로 타석에 서는 일을 해 냈어요. 이젠 더 능숙해져서 성공하는 일만 남았어요.

영주 감사해요.

오늘 영주님 오늘 많이 힘드셨으니, 따뜻한 국화차 한 잔 드릴게요. 이즈음에 마시는 국화차가 저는 참 좋더라고요.

영주 네. 감사해요. 덕분에 마음이 좀 차분해지네요.

■ 자기 탐색 방법 6단계

1. 강점 찾기
2. 경험/이력 정리하기
3. 나의 키워드 찾기
4. 나의 카테고리 선택
5. 나의 SWOT 분석
6. 자기 탐색 종합정리

(2) '영주스러운' 브랜드 콘셉트는 이렇게 하면 돼요.

영주　오늘님. 인스타그램을 보면 비슷비슷한 계정들이 정말 많아요. 저도 그 비슷한 계정들 중 하나일 뿐인 것 같아요. 저도 저만의 색깔을 가지고 싶어요.

오늘　퍼스널브랜딩은 '나다움'이 가장 중요하죠. '~스럽다'라는 표현이 나올 때가 비로소 퍼스널브랜딩에 성공한 것이라고 장은진<내 이름으로 먹고삽니다>에 나오기도 해요. 브랜드 차별성은 브랜드 콘셉트와 콘텐츠에서 만들어져요. 먼저 우리는 브랜드 콘셉트를 잡아 볼게요. 영주스럽게 '영주의 방'을 꾸미는 것이죠.

주인공 설정하기

오늘　먼저 주인공을 누구로 설정할 것인지를 결정하고, 그에게 어떤 도움을 줄 것인지 볼게요. 앞서 말씀드렸듯 '영주의 방'의 주인공은 영주님이 아니에요. '영주의 방'의 주인공은 '영주님의 타깃'이예요. 이제 주인공이라고 하면 타깃으로 해석하시면 됩니다. <워크시트 6>에 작성해 보시면 됩니다. [참고 예시]와 이전 회기에 결정했던 카테고리의 주 소비자 중 나는 주로 누구를 위해서 메시지를 전할 것인지를 생각하면 됩니다. 묘사가 자세할수록 영주님에게 주인공이 더 잘 그려져서 '영주의 방'을 디자인할 때에 구상을 더 명확하게 할 수 있어요.

구분		작성예시
연령		30~40대
성별		여성
지역		광주
타깃 세부 유형		번아웃, 퇴사를 고민하는 여성 재도약을 꿈꾸는 이 육아로 자신을 돌보지 못하는 여성
타깃 세부 묘사		대학을 졸업하고 바로 결혼을 했습니다. 잠깐 일을 해 봤지만, 그 기억은 너무 힘들었습니다. 바로 아이가 생겼는데, 쌍둥이였습니다. 출산과 쌍둥이 육아로 순식간에 10년이 흘렀습니다. 두 아이와 남편을 살뜰이 보살폈고, 누구보다 야무지게 살림을 해 왔어요. 경제 공부, 아이 교육을 위한 공부도 게을리하지 않았어요. 그렇게 아이들과 남편은 저마다의 자리를 찾았습니다. 하지만 문득 저 자신의 자리는 어디인가 하는 생각이 듭니다. 하고 싶은 것들은 생각도 하지 않으며, 희생적으로 살았습니다. 그렇게 나 이를 먹으니, 무엇을 시작하기가 두렵습니다. 유일한 직장생활의 경험은 너무 끔찍했습니다. 하지만 이제는 저의 자리를 잃은 채 계 속 시간만 보내고 싶지 않습니다.
배제 대상		빠른 수익 창출만 목적으로 하는 이 빠른 SNS 성장만을 원하는 이
주인공의 고난	외적고난	나만의 일을 하고 싶은데 정보와 방법을 모르겠음
	내적고난	나의 정체성을 모르겠음
	철학적 고난	선한 영향력을 어떻게 펼칠지 모르겠음
고난 해결방법		나의 정체성과 콘텐츠, 수익화를 연결해주는 로드맵 제공

- 내적 문제 : 외적 문제의 내면에 숨겨진 심리적 문제
- 외적 문제 : 주인공이 싸움에서 이기기 위해 극복해야 하는 물리적이고 눈에 보이는 문제
- 철학적 문제 : 스토리 자체보다 더 큰 '왜'에 대한 문제
※ 도널드 밀러 <무기가 되는 스토리> 참고

< 워크시트 6 > 나의 브랜드 주인공 설정하기

구분	작성하기
연령	
성별	
지역	
타깃 세부 유형	
타깃 세부 묘사	

배제 대상		
주인공의 고난	외적 문제	
	내적 문제	
	철학적 문제	
고난 해결방법		

- 내적 문제 : 외적 문제의 내면에 숨겨진 심리적 문제
- 외적 문제 : 주인공이 싸움에서 이기기 위해 극복해야 하는 물리적이고 눈에 보이는 문제
- 철학적 문제 : 스토리 자체보다 더 큰 '왜'에 대한 문제
※ 도널드 밀러 <무기가 되는 스토리> 참고

채널 결정하기

오늘 '영주의 방'을 어느 채널에 꾸릴 것인지 결정하고, 주인
공을 위해 어떤 말투로 어떻게 접근할지 생각해 볼게요.
주인공이 아이라면 친구같은 말투나 유치원 선생님의 말
투로 다가가야겠죠. 그런데 주인공이 어르신이라면 좀
더 신뢰 가는 말투나 친근한 말투를 좋아하실 것 같아
요. 성별에 따라서도 다르겠죠. 처한 환경에 따라서도 다
를 것 같고요. 영주님은 주인공에게 어떤 말투로, 어떻게
다가갈 것이고, 어느 채널에 방을 꾸릴 것인지 <워크시
트 7>에 작성해 볼게요.

영주 제 말투가 어땠는지 모르겠어요. 가끔은 한없이 장난꾸
러기 같고, 가끔은 한없이 진지한 것도 같아요.

오늘 맞아요. 누구나 한 가지 성격만을 가지고 있지는 않아요.
친한 친구에게는 장난도 치지만, 낯선 사람에게는 한마
디를 건네기도 쉽지 않죠. 어떤 사람에게는 농담도 하면
서 스스럼없이 대하지만, 어떤 사람에게는 진지한 고민
만을 이야기하죠. 우리가 평소에 생활할 때에도 마찬가
지죠. 그런데 우리는 이렇게 다양한 방식으로 표현하는
데도 신기하게 외부에서 나를 보는 이미지는 비슷해요.
실생활에서 '어떤 말투를 써야지'하고 마음먹고 말하는
것이 아닌데도 말이죠. 왜 그럴까요?

영주 글쎄요. 왜 그럴까요?

오늘 그것은 사람의 고유성 덕분이죠. 나는 표현 방법이 일관되지 않다고 생각해도 주변에서는 나를 어떤 명확한 이미지로 떠올리죠. 이 고유성은 의도적으로 노력해서 만들어지는 것이 아니에요. 그래서 내가 세심하게 조절할 일도 아니죠.

우리는 세부적인 말투를 신경 쓰는 것보다 나의 주인공이 누구이고, 나는 주인공과 어떤 관계에서 말할 것인지를 정하는 것이 좋아요. 그러면 자연스럽게 내 이미지에 일관성이 생길 것입니다.

예를 들면, 나는 '30대 중반의 00으로 힘들어하는 동성 친구에게 공감하고 00관련 정보들을 전할 것이다.'라고 정의하면 이미지에 일관성이 생기지 않을까요?

글을 구성하거나, 영상을 만들 때나 시나리오를 구상할 때에도, 내 주인공이 누구인지와 나는 어떤 관계인지만 잊지 않으면 될 것 같아요. 이후의 일관성은 내 고유성에 맡기자고요.

영주 네. 그래야겠네요. 일관성을 가지고 표현한다는 것이 무엇인지 감이 안 오더라고요. 딱 그것만 기억해야겠네요. 나의 주인공이 누구인지와 나와 주인공의 관계!!

오늘 좋아요. 이어서 작성해 볼게요.

< 워크시트 7 > 나의 채널 결정하기

1. 채널 결정하기
- ☐ 나는 말로 표현하는 것이 편하다 / 유튜브
- ☐ 나는 글로 표현하는 것이 편하다 / 블로그
- ☐ 나는 사진이나 그림으로 표현하는 것이 편하다 / 인스타
- ☐ 나는 영상으로 표현하는 것이 편하다 / 인스타, 유튜브

2. 자신의 표현방법 생각해 보기

- ☐ 진솔하게 표현하기   ☐ 신기하게 표현하기
- ☐ 웃기게 표현하기   ☐ 고급스럽게 표현하기
- ☐ 객관적으로 표현하기   ☐ 친근하게 표현하기
- ☐ 감성적으로 표현하기   ☐ 센스있게 표현하기

3. 주인공과의 관계 결정하기

- ☐ 동네 언니, 오빠   ☐ 따뜻한 엄마, 아빠
- ☐ 자상한 선생님   ☐ 날카로운 전문가
- ☐ 가까운 친구   ☐ 귀여운 동생
- ☐ 협업하는 동료   ☐ 한 걸음 앞서 걷는 선배

4. 채널에서 어떤 방식으로 표현하고 싶은지 정리해 보세요.

파트너 분석

오늘   좋아요. 영주님. 이어서 파트너를 분석을 해 볼게요.

영주   파트너요? 제 파트너가 있어요?

오늘   보통은 경쟁사라고 하죠. 저는 경쟁사가 아니라 같이 성장해 나가며 선의의 경쟁을 하는 파트너라고 생각해요.

영주   그래도 같은 분야라면 경쟁상대 아닌가요?

오늘   저는 우리가 선한 영향력을 펼치려는 그 분야의 파이를 '나눈다고' 생각하지 않아요. 함께 파이를 '키워나가는' 거죠. 그래서 경쟁사가 아니라 우리 분야의 영역을 함께 넓혀나가는 파트너예요.

그러니 함께 협업하고, 함께 성장하는 것이 중요해요. 경쟁상대라고 생각하면 견제하게 되고, 마음이 조급해져요. 하지만 파트너라고 하면, 함께 성장해 나가고 싶어져요. 언어가 주는 힘이더라고요. 그래서 저는 '경쟁사' 말고 '파트너'라고 칭합니다. 우리는 '파트너'들과 함께 더 멀리, 오래, 넓게 뻗어 나갈 것입니다.

영주   말씀 들어보니 그럴 수도 있겠네요. '경쟁사'라고 하니, 견제되는데 '파트너'라고 하니 든든하게 느껴져요.

오늘   물론, 저같이 생각하지 않는 분들도 있을 것입니다. 하지만 저는 이 마인드로 파이를 넓혀가고자 했어요. 선한 영향력은 함께 할수록 좋고, 우리의 분야의 파이는 커질

수록 더 영향력이 생기거든요. 오늘 작업은 아주 중요하지만 시간을 좀 필요로 해요.

영주 파트너들은 많이 할수록 좋나요?

오늘 파트너는 5~10개가 적당하다고 생각돼요. 많을수록 좋을 수도 있지만, 오히려 처음에는 헷갈리고 내 색깔을 찾기가 더 어려워져요. 분석할 파트너는 4가지로 구분해볼 수 있어요. 롤모델, 나와 같은 분야의 파트너, 나와 다른 분야의 파트너, 기타(눈여겨보고 싶은 브랜드)입니다. <워크시트 8>에 그동안에 SNS를 하면서 주목하고 있던 채널들을 그냥 눈으로만 보지 말고 정리하고 분석해보세요. 벤치마킹은 중요한 작업입니다.

영주 어떤 파트너를 찾아야 할지 모르겠어요.

오늘 주언규 <슈퍼노멀>에서는 모방이 먼저이고, 차별화는 그 다음이라고 해요. 같은 조건 속에서 압도적 성과를 거둔 이들은 성공 돌연변이라고 하는데, 그들을 벤치마킹하라고 해요. 성공 돌연변이를 찾아내기 위해서는 다음 3가지 조건을 보라고 합니다.

■ 성공 돌연변이 3가지 조건

1. 나와 비슷한 조건에서
2. 내가 지속할 수 있는 정도의 요소를 투입하면서
3. 뜻밖에 거둔 압도적인 성과

오늘 　3가지 조건의 핵심은 그것입니다. 나도 따라 할 수 있는 정도라는 것이죠. 물론 베끼는 것은 안 됩니다. 그건 나중에 부끄러워지는 일이에요. 나중에 콘텐츠를 만드는 단계에서 말씀드릴 예정이지만 나의 경험과 인사이트 등을 넣어서 내 것으로 만들어서 발행해야 해요.

영주 　제 분야와 다른 분야를 구분해서 압도적 성과를 이룬 사람을 분석하라는 이야기군요. 찾아봐야겠네요.

오늘 　맞아요. 이 단계가 정말 중요해요. 영주님만의 성공 돌연변이를 찾고 분석하는 것이요. 이들의 표현방법과 콘텐츠, 다양한 기획들을 참고해서 영주님의 방을 꾸밀 것이니까요. 특히 파트너를 분석한 내용을 자세히 기록해 두면 내가 어떤 콘텐츠를 어떤 형식으로 표현해야 할지 한눈에 보고 감을 잡을 수 있어요.

영주 　어렵겠지만 한번 해 볼게요. 정보 수집하면서 적는 거죠?

오늘 　네. SNS채널에 들어가서 보고 분석해서 적으면 돼요.
벤치마킹할 브랜드를 찾는 것만으로도 공부가 돼요.
찾는 동안 많은 브랜드들을 자세히 살펴보게 되니까요.
천천히 하나씩, 하나씩 해서 우리 딱 10개 채널만 분석해볼까요?

영주 　10개요?? 1개 채널을 찾는 것부터가 힘든데요?

오늘 　10개가 힘들면…. 그래요. 5개만 일단!!

영주 　네. 일단 5개만 하면서 요령을 좀 익혀 볼게요.

< 워크 시트 8 > 나의 파트너 분석하기

구분	브랜딩명	채널 규모	주인공	프로필	해시태그

주요 콘텐츠	인기 콘텐츠	후킹 멘트	내용구성	종합분석

구분	브랜딩명	채널규모	주인공	프로필	해시태그	콘텐츠
롤모델	드로우 앤드류	11.2만 (인스타그램)	자신만의 브랜드를 구축하고자 하는 이들	브랜드 채널, 책 소개 강의 소개	#릴스 #자기계발 #동기부여	릴스중심 표지를 글자만 깔끔하게

인기콘텐츠	후킹멘트	내용구성	종합분석
1.(55.8만)잘못된 연애를 하고 있다는 신호 2.(128.6만) 일못하는사람특징 3.(470.2만)만만해보지 않는 대화법 4.(79.7만)대체될 수 없는 사람이 되는 법 5.(156.7만)뇌를 확장시키는 글쓰기 방법 6.(119.7만)회사에서 키워주고 싶은 후배 특징 7.(104.3만)회사에서 예쁨받는 후배의 화법	~하는 법 ~한다고? ~당했을때 ~사람특징 절대~하지마세요 이렇게 대처하세요 ~대하는 자세	캡션보다는 영상 내용 중심 인터뷰영상	20~30대 고민상담, 공감 키워드 찾을 수 있음

- 구분 : 롤모델, 파트너 채널(같은 분야/다른 분야), 기타 채널
- 채널규모 : 팔로워수 또는 구독자 수, 이웃 수 또는 일일 조회수 등
- 주인공 : 브랜드 주 타깃층
- 프로필 : 프로필 및 프로필 링크 구성
- 해시태그 : 자주 사용하는 해시태그, 해시태그 개수 등
- 콘텐츠 : 주로 발행하는 콘텐츠들
- 인기 켄텐츠 : 좋아요, 조회수 등이 높은 콘텐츠
- 후킹 멘트 : 콘텐츠 제목 구성
- 내용 구성 : 콘텐츠 내용 구성
- 종합분석 : 브랜드 특이사항 및 좋은 콘텐츠, 보완해야 할 콘텐츠

영주 오늘님. 진짜 어려워요. 근데 이게 정말 도움이 되네요. 정말 뭘 어떻게 해야 할지 방향이 보여요.

오늘 그래요?

영주 네. 이제부터 어떤 해시태그로 어떻게 프로필을 꾸미고, 어떤 콘텐츠들이 인기가 많은지 좀 감이 잡히네요.

오늘 멋지네요. 그 정보들을 잘 모아서 영주님 스스로 분석하고 어떻게 적용할지 고민해 보는 거죠.

영주 네. 그래야겠어요.

오늘 여기서 중요한 것이 있어요. 분석 내용을 꼭 기록하셔야 합니다. 나중에 말씀드릴 것이지만, 아웃풋이라는 것은 성과가 난 후에 내는 것이 아닙니다. 과정에서 아웃풋을 계속 낼 수 있어요. 그러니, 분석한 내용은 잘 기록 해 두시면, 영주님의 귀한 인사이트가 돼요.

영주 인사이트요?

오늘 네. 영주님만의 분석을 통한 통찰? 자료? 정도라고 생각하시면 될 것 같아요.

영주 인사이트 멋지네요. 알겠어요.

오늘 영주님. 오늘은 여기까지 하죠. 오늘은 모과차를 드릴게요. 제가 좋아하는 차예요. 모과는 가을에 주로 나오는데, 추운 바람과 함께 달콤하고 향긋한 모과차를 마시면 마음이 말랑말랑해지더라고요.

브랜드 디자인 1 - 주력 분야

오늘　영주님. 이제 브랜드 디자인을 시작할 것입니다. 그리고 <워크시트 9>에 디자인 설계안을 써 볼 것입니다. 워크시트를 먼저 보고 진행할게요.

영주　네. 봤어요. 지금 써요?

오늘　아니요. 지금부터 하나씩 찾아가면서 같이 써 볼게요. 1번 항목 주력 분야는 내가 주인공에게 어떤 서비스를 제공할 것인지 생각하는 것이죠.

영주　이건 좀 어려운데요?

오늘　일단 할 수 있는 만큼만 하고 후반부에 콘텐츠 발행 부분에 더 자세히 계획할 것입니다. 이 부분에서 중요한 것은 역시 우리의 주인공이에요. 우리의 주인공이 어떤 것을 원하고, 나는 현실적으로 어디까지 해 줄 수 있는가를 생각해야 해요. 그리고 퍼스널브랜딩에서 가장 중요하다고 여겨지는 3요소는 지속성과 차별성, 일관성입니다. 이 3가지가 충족될 수 있는 분야를 주력 분야로 결정해야 해요. 이전에 우리는 카테고리 분석까지 했죠? 그 카테고리 안에서 내가 지속해서 차별적이고, 일관적으로 콘텐츠를 발행하고, 서비스 또는 상품을 판매할 수 있는 분야를 구체적으로 설정해야 해요.

> ■ 브랜드의 3요소
> 지속성, 차별성, 일관성

영주　이전에 했던 파트너들 분석한 것들을 보고, 방향이 좀 잡히기도 했어요.

오늘　다행이네요. 우리가 이미 앞선 단계에서 다 했던 것입니다. 한 번만 더 정리하는 것으로 생각해도 돼요.
자기 탐색할 때에도 SWOT 분석을 했고, 우리는 꾸준히 우리 차별성들을 생각해 왔어요. 그것들로 잡으시면 됩니다. 우리는 주인공들도 좁혀왔고, 무엇이 필요한지도 알았으니 더 어렵지 않아요. 다시 보시면서 생각을 정리 해 볼게요. 구체적으로 적으면 좋지만, 대략 잡고, 나중에 수정해 나가도 됩니다.

영주　네. 그럼 저는 육아맘들의 자녀 학습에 도움이 되는 정보들을 제공하는 것으로 주력 분야를 잡아 볼게요.

오늘　좋아요. 그렇게 하면 되겠네요.

브랜드 디자인 2~4
- 브랜드 소개글, 슬로건, 브랜드 네임

오늘　이제 우리 브랜드 이름을 정해야 해요. 브랜드 이름은 앞서 우리의 브랜드 스토리와 주력 분야의 가치를 보여

주는 이름으로 해야 해요.

영주 주력 분야의 가치요?

오늘 네. 이름을 들으면 '어떤 가치를 추구하는구나.' 혹은
'어떤 제품 또는 서비스를 하는 브랜드구나.' 하고 알아
차릴 수 있어야겠죠?

영주 너무 어려워요.

오늘 그렇죠. 그래서 우리는 먼저 브랜드 소개 문구를 만들어
보고, 이를 좀 더 멋지게 표현하는 슬로건을 만든 후에
이를 상징하는 브랜드 네임을 만드는 것으로 범위를 좁
혀가 볼 것입니다. 처음부터 브랜드 네임을 만드는 것이
힘들 수 있어서요.

■ 브랜드 가치 표현하기
브랜드 소개 문장 → 슬로건 → 브랜드 네임

오늘 브랜드를 소개하는 문구는 인스타그램과 블로그, 유튜브
의 프로필에 사용될 것이고요. 말씀드린 것처럼 이 문구
를 중심으로 브랜드명과 슬로건도 구상해 볼 것입니다.

영주 브랜드 소개글이 굉장히 중요하네요. '영주의 방'을 짧
게 소개하는 거죠?

오늘 맞아요. 조연심 <퍼스널브랜딩에도 공식이 있다>를 보면 브랜드 소개는 이렇게 하도록 안내되어 있어요.

■ **브랜딩 소개 한 문장 공식**

1. **자신이 누구인지를 정의**
2. **자신의 강점을 어필**
3. **줄 수 있는 혜택을 약속**

오늘 예를 들면, 이렇게요.
"당신의 완벽한 오늘을 위해 상담합니다.
책을 통한 밀도 높은 인사이트와 13년 상담 경력으로 퍼스널브랜딩, 마음 상담해드립니다. 자신만의 특별함을 발견해 나만의 브랜드를 만들어서 나 자신을 더 사랑하게 돕습니다."

영주 조금 긴 것 아닌가요?

오늘 긴 내용은 상황에 맞춰 줄여나갈 수 있어요. 아웃풋 법칙에서는 좀 더 짧게 나를 소개하는 한 문장을 만들도록 해요. 그리고 그 한 문장에는 반드시 타인을 위한 동사가 들어가도록 조언해요.

영주 동사요?

오늘 저자는 한 문장 소개 예시를 이렇게 들었어요.
예) 자산을 빠르게 불릴 수 있도록 돕는다.

영주　확실히 확 와닿고 궁금해지네요.

오늘　그리고 이 한 문장은 다음 질문에 답할 수 있어야 해요.

> **■ 자기소개 한 문장에 포함되어야 할 내용**
>
> **1. 내가 도움을 받을 사람이 누구인지 드러나는가?**
> **2. 내가 제공하는 도움이 많은 사람에게 필요한 것인가?**
> **3. 자기소개에 앞으로의 방향성이 보이는가?**
> **4. 내 앞날을 응원하고 싶다고 생각을 들게 하는가?**
> **5. 내게 따로 연락하고 싶다는 생각이 들게 하는가?**

영주　이 질문들에 답할 수 있는 한 줄 소개를 해야겠네요.

오늘　저는 두 가지 방법 다 좋은 것 같아요. 먼저 아웃풋 법칙에 충족되는 한 문장을 만들고, 거기에 강점과 약속을 덧붙여 놓으면 훨씬 설득력이 있고, 상황에 따라 활용할 수 있겠죠?

영주　네. 그럴 것 같네요.

오늘　그리고 <아웃풋 법칙>에서는 자신만의 정체성은 혼자 만드는 것이 아니라고 해요. 정체성은 사람들이 인식하는 나의 모습이고, 나의 본질적인 모습은 맞지만, 오직 내 생각만으로 완성되는 것은 아니죠.

영주　그렇군요.

오늘　저도 여기에 동의해요. 저는 상담하는 것으로 방향을 잡앉지만, 인스타그램 팔로워분들이 정리를 잘한다고 칭찬을 많이 해 주셨어요……. 아…. 제 자랑 같네요.

영주 그렇긴 한데 꾹 참고 들어볼게요

오늘 네. 감사해요. 저는 글을 구조화시켜서 가독성 있게 표현한다는 말을 자주 들었어요. 그래서 콘텐츠의 방향성을 퍼스널브랜딩에 필요한 정보와 책, 그리고 인생의 고민에 대한 생각을 가독성있게 정리해서 발행하는 것으로 잡았어요. 말투는 상담사이고, 주제는 상담이 필요한 분야들이지만, 내용은 딱 떨어지게 정리해서 표현하면서 저만의 색깔을 낸 것이지요.

영주 그렇군요.

오늘 네. 주변의 피드백들을 놓치지 않고 잘 관찰하고, 어떤 콘텐츠에 어떤 글 또는 영상을 올렸을 때 반응이 오는지 분석한다면 나를 잃지 않으면서 주인공 맞춤 콘텐츠를 발행할 수 있죠.

영주 그럴 것 같네요. 실은 이 부분이 가장 어렵거든요. 나의 색을 주인공에 맞춰서 어떻게 표현할 것인지…. 주인공을 잘 모르겠으니까요.

오늘 그래서 자주 소통하면서 이야기도 나누고, 의견도 묻는 것이 중요해요.

영주 그럴 것 같아요.

오늘 자, 그리고 이어서 소개 한 문장이 나왔으면, 좀 더 멋지게 슬로건으로 구상해야죠.

영주 어떻게 멋진 문장으로 구성해요?

오늘 몇 가지 방법이 있는데, 첫 번째는 명언 사이트나 명언집을 보는 것이죠. 명언집에서 우리 브랜드 가치와 비슷한 방향의 표현을 찾는 거예요. 아니면, 시집도 좋아요. 명언집과 시집은 함축적 표현들이 있어서 도움이 돼요. 카피라이팅 책도 추천해 드려요. 탁정언 <죽이는 한마디>에는 카피라이팅하는 다양한 원리들을 보여주는데, '침대는 과학이다'같은 단정의 원리부터 '소리 없는 아우성' 같은 충돌의 원리, '살인의 추억'같은 인접의 원리 등이 있어요. 브랜드 채널 운영하며, 콘텐츠 제목을 잡는 것에도 도움이 돼죠. 마지막 방법은 대화형 인공지능 챗봇에 물어보는 거죠. 나중에 글쓰기 부분에서 자세히 설명해 드릴 것인데, '챗 GPT', '뤼튼'이라는 사이트나 카카오톡 채널 중에 'ASK UP'이라고 있는데, 친구와 카카오톡 채팅하듯 질문을 주고받을 수 있어요.

■ 슬로건 만드는 방법

1. 명언집이나 시집 참고하기
2. 카피라이팅 책으로 영감 얻기
3. 대화형 인공지능 챗봇과 상의하기

영주 좋네요. 잘 활용 해 볼게요.

오늘 그리고 이 방법을 이용해서 브랜드명도 만들어 볼 수 있어요. 정진호<인스타그램퍼스널브랜딩> 속 예시를 포함해서 몇 가지 예시를 보여드릴게요.

■ **브랜드 가치 → 브랜드명**

(예시 1) 완벽한 오늘을 만들도록 돕는 것 → 완벽한 오늘
(예시 2) 아내를 위한 삶 → 앤디파파
(예시 3) 행복을 전하는 장난감 아저씨 → 백곰삼촌

오늘 우리 영주님도 어떤 브랜드명이 좋을지 앞에 정리한 내용을 참고해서 정해보세요.

브랜드 디자인 5 - 브랜드 컬러

오늘 브랜드 컬러는 브랜드의 전체적인 이미지를 좌우해요. 차별화를 주는 가장 좋은 포인트이죠.
김혜경, 최영인 <끌리는 퍼스널브랜딩의 비밀>에서는 컬러에는 감정이 있다고 해요. 예를 들어 열정은 빨강이고, 사랑은 핑크, 자연은 초록 등이 있죠. 그리고 특정 분야마다 상징적인 컬러가 있어요. 산업별로 많이 사용하는 특정 컬러는 연상작용을 일으키죠. 예를 들면 식음료 분야기업들은 주로 원색계열 중에서도 특히 따뜻한 컬러를 사용하고요. 보라색은 식욕 감퇴시키는 이미지가 있어서 거의 사용하지 않거나 사용하더라도 일부만 사용해요. 신뢰와 정확성을 강조하는 삼성은 파란색, 기술과 감성의 조화를 중요하게 생각하는 애플은 무채색을 쓰죠. 이렇게 목표하는 바나 주인공, 서비스 분야에 따라 다른 색을 줄 수 있어요.

영주　컬러가 중요하네요. 근데 컬러를 어떻게 좁혀가야 해요?

오늘　이 중에서 영주님의 주인공이 좋아할 것 같은 색 중심으로 생각해 볼 거예요. 영주님의 카테고리 속 주인공은 어떤 색을 좋아할까요? 그리고 우리의 슬로건과 주력 분야, 네이밍에 맞는 색을 골라야겠죠.

영주　이것도 너무 광범위한데요?

오늘　색은 연령과 성별, 상품에 따라 다르게 설정할 수 있어요. 이호정 <사고 싶은 컬러 팔리는 컬러>에는 고령층들은 진한 원색일수록 눈 건강에도 좋고, 선명하게 보이기 때문에 나이 먹을수록 빨간색을 좋아한다는 말이 그냥 나온 것이 아니라고 해요. 블랙은 태양광을 흡수해서 노화를 촉진하고, 화이트는 컨디션이 안 좋을 때 입으면 효과적이죠. 여성은 주로 붉은 계열, 남성은 파란 계열을

선호하는데, 보라색은 남성들이 핑크와 잘 구분하지 못
한다고 해요. 좋아하지도 않고요. 아이에게 좋은 컬러도
있어요. 레드는 체력이 향상되고, 옐로는 언어능력을 높
여주고, 그린은 마음의 균형을 잡게 하고, 블루는 좌뇌와
우뇌를 모두 자극하여 감성과 이성을 발달시키죠. 6~7
세부터 컬러에 대한 성별 차이가 생겨요.

브랜드 가격에 따라서 저가는 레드를 주로 사용하고, 오
렌지나 옐로처럼 쉽게 다가갈 수 있는 컬러를 사용해요.
맛이나 향기에 어울리는 컬러도 있고, 인테리어를 할 때
도 컬러를 어떻게 배치하느냐에 따라 매출에 영향을 미
쳐요. 이런 것들이 있다는 것을 먼저 염두에 두고, 우리
의 주인공이 필요하고 좋아할 만한 색과 우리 브랜드에
서 그들에게 줄 수 있는 메시지에 맞는 색을 골라야겠
죠. 스토리를 담은 컬러도 있어요.

■ 스토리를 담은 컬러

- 레드 : 열정과 대담함
- 블루 : 미래의 비전과 신뢰
- 옐로 : 긍정 에너지와 행복감

영주　우와~ 컬러의 세계도 신기하네요.

오늘　기분에 따라 도움이 되는 컬러들도 있어요. 우리 주인공

에게 주로 전달하고 싶은 감정에 따라 브랜드 컬러를 고려할 수도 있죠.

■ 기분에 따라 도움 되는 컬러

- 레드 : 체력이나 기운이 부족한 사람에게 활력
- 핑크 : 마음의 상처를 위로, 사랑받는 기분 줌
- 오렌지 : 사교성, 즐거운 에너지 충전
- 브라운 : 마음을 차분하게 가라앉혀주고, 불만 감소
- 옐로 : 긍정적인 기운, 피로한 뇌 휴식
- 그린 : 몸의 균형을 바로 잡아주고 피로 회복
- 블루 : 스트레스/두통을 완화, 평온, 냉정한 판단 유도
- 화이트 : 마음을 정화, 복잡한 문제 단순화
- 블랙 : 정신적 압박이나 불안감을 느낄 때 도움

오늘 책에서는 이런 문장이 있어요.

> 브랜드 컬러는 '선택'하는 것이 아니라 '설계'하는 것이다. 당신이 새로운 브랜드와 제품을 출시할 예정이라면 컬러칩을 보고 맘에 드는 컬러를 고를 것이 아니라 먼저 제품이 판매될 매장에 나가 보는 것이 좋다.

이렇게 다른 브랜드에서는 어떤 컬러들이 주로 포지셔닝 되었는지 살피는 것이 중요해요. 좋은 컬러라도 다른 브랜드가 너무 강력하게 선점하고 있으면, 나를 인지시키

는데 어려움이 있을 수 있으니까요. 보통 온라인 브랜드는 눈에 띄는 원색계열을 활용하고는 해요. 프로필 사진에도 원색 컬러에 본인의 프로필 사진을 넣는 방식을 자주 사용하죠. 원색 컬러로 나를 인지시키고, 실물 사진으로 신뢰도를 높이는 것이죠. 컬러는 주인공을 설득시키기에 백 마디 말보다 강력한 언어이기도 해요. 그러니 우리는 이를 잘 활용해야겠죠.

영주 그렇군요. 제 주인공은 여성들이 많으니 붉은 계열로 하고, 사랑스러움을 느낄 수 있는 핑크도 좋은 것 같아요.

오늘 보통 주 컬러를 하나 설정하고, 세컨드 컬러를 2가지 정도 더 선택한 후에 조합을 하는 경우들이 많아요. 가장 눈에 띄는 색은 옐로 컬러인데, 블랙과 조합을 이루면 더 눈에 띄어서 안전보호를 위한 상징적인 색 조합으로 사용되죠. 하지만 흰색 계열과 배치하면 눈에 잘 띄지 않아요. 이런 식으로 눈에 띄는 색 조합으로 한 번 더 내 브랜드를 강력하게 어필 할 수도 있죠.

영주 그럼 저의 인스타그램은 어떻게 꾸미는 것이 좋을까요?

오늘 인스타그램의 경우 3~4가지 컬러를 조합해서 글자색과 매칭시켜보면 좋아요. 저는 신뢰를 상징하고 스트레스와 불안을 낮추며 감성과 이성을 상징하는 블루 계열로, 전문성을 보일 검정색과 깔끔한 흰색을 조합했어요. 글꼴

에 하이라이트를 입혀보기도 하고, 색을 교차해 보기도
하고, 글꼴을 변경해 보기도 했어요. 저는 이렇게 색과
글을 조합하며 색을 설계해 봤어요.

나의 채널은 내 포트폴리오가 되기도 하고, 말씀드린 것
처럼 깔끔한 채널 분위기가 백 마디 말보다 나를 인지시
키기 좋고, 신뢰를 줄 수도 있어요.

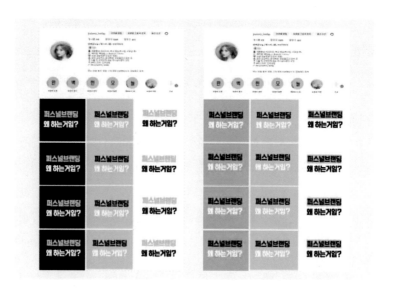

오늘 브랜드 컬러를 참고할 사이트는 몇 곳을 알려드릴게요.
이곳을 참고해서 색을 조합 해 보면 좋아요. 다른 브랜
드 채널들을 참고도 해 보고, 사이트들도 참고해서 주
컬러와 세컨드 컬러까지 3가지 컬러를 골라봐요.

사이트명	주요 내용
LOL 컬러	www.webdesignrankings.com 선별된 4가지 색 조합, 컬러명 확인 후 활용 가능
Coolors	https://coolors.co/ 초고속 색상 팔레스 생성기, 색을 골라서 맞춤 구성 가능 다양한 개수가 조합 된 인기 팔레트 탐색
어도비 컬러	https://color.adobe.com/ 색상 휠 팔레스 생성기, 휠을 돌려서 색상 선택, 5개 색 조합 직접 생성 가능

브랜드 디자인 6 - 키워드

오늘 브랜드 키워드는 내 브랜드가 상징하는 것들을 단어로 표현하는 것입니다. 사람들이 어떤 키워드를 검색해야 내 브랜드를 만날 수 있을까 생각해 보면 돼요.

영주 어떤 검색을 통해서 내 브랜드를 만날 수 있을까 하는 것이요? 검색창에 입력하는 단어들이요?

오늘 네. 브랜드 키워드는 브랜드를 이끄는 나에 대한 키워드일 수도 있고, 서비스나 상품에 대한 키워드일 수 있죠.

영주 키워드를 많이 생각해 놔야 하나요?

오늘　지금은 키워드를 4가지로 분류해서 생각해 볼 것입니다. 나중에 브랜드를 홍보하기 위해 키워드 광고도 해 볼 수 있는데요. 그때는 키워드를 조합해서 많이 넣는 곳은 만 개도 넣는다고 해요. 그때는 엑셀로 행과 열에 대분류, 중분류 등의 키워드를 넣어서 조합해서 키워드들을 더 많이 생성해 내야겠죠.

영주　만 개요?

오늘　네. 근데 일단은 그런 것들이 있다. 정도만 생각하시고, 지금은 브랜딩을 위한 몇 개의 키워드 조합을 연습하는 것부터 시작하는 것이 좋겠죠?

영주　네. 그럴게요.

오늘　키워드를 4가지로 분류해 보면 다음과 같아요.

■ 키워드 4가지 분류

대분류 키워드 - 큰 카테고리
중분류 키워드 1 - 대분류들의 조합(나 기준)
중분류 키워드 2 - 대분류들의 조합(제공할 서비스 기준)
검색 키워드 - 사람들이 검색할 것 같은 키워드

오늘　이렇게 4개의 키워드로 분류해서 영주님의 브랜딩 키워드를 만들어 보시면 됩니다.

영주　네. 해 볼게요.

[참고 예시] 나의 브랜드 디자인 하기

연번	구분			설명	나의 브랜드 디자인
1	주력분야			나의 주인공(타깃) 맞춤 서비스 분야	퍼스널브랜딩 상담 퍼스널브랜딩 구축을 위한 독서법, 글쓰기, 심리, 고민 상담
2	브랜드 소개글			1. 자신이 누구인지를 정의 2. 자신의 강점을 어필 3. 줄 수 있는 혜택을 약속	당신의 완벽한 오늘을 위해 상담합니다. 책을 통한 밀도 높은 인사이트와 13년 상담 경력으로 퍼스널브랜딩, 마음 상담해드립니다. 자신만의 특별함을 발견해 나만의 브랜드를 만들어서 나 자신을 더 사랑하게 돕습니다.
3	슬로건			내가 전하고 싶은 메세지	정성을 다한 오늘이 완벽한오늘입니다. 당신의 완벽한 오늘을 진심으로 응원합니다.
4	브랜드 네임			나의 가치를 함축한 단어조합	완벽한오늘
5	컬러			브랜드를 상징하는 컬러 ※주컬러 1, 부컬러 2~3	블루, 블랙, 화이트
6	키워드	대분류		가장 큰 범위 카테고리	퍼스널브랜딩, 상담, 마케팅, 브랜딩
		중분류	나	나를 기준으로 한 대분류 키워드와 조합	퍼스널브랜딩 상담사, 퍼스널브랜딩 컨설턴트, 퍼스널브랜딩 강사
			서비스	제공할 서비스를 기준으로 한 대분류 키워드와 조합	브랜딩 상담, 퍼스널브랜딩 상담, 퍼스널브랜딩 컨설팅
		검색		주인공이 검색할 것 같은 키워드	퍼스널브랜딩 방법, 퍼스널브랜딩 마케팅, 퍼스널브랜딩 전략

< 워크시트 9 > 나의 브랜드 디자인 하기

연번	구분	나의 브랜드 디자인
1	주력 분야	
2	브랜드 소개글	
3	슬로건	
4	브랜드 네임	

5	컬러			
6	키워드	대분류		
		중분류	나	
			서비스	
		검색		

브랜드 스토리

오늘 이제 브랜드 스토리를 만들어 볼 것입니다.

영주 브랜드 스토리요?

오늘 네. 맞아요. 브랜드 스토리는 후반부에 내 브랜드 홍보 자료로도 활용될 예정입니다. 브랜드 스토리는 홍보 전단을 만든다고 생각하면 돼요. 이전에 작성했던 것들을 조합해서 내가 어떤 서비스를 누구에게 제공할 것이고, 어떤 경쟁력이 있는지를 한눈에 보기 좋게 정리하는 것이죠. 주인공들에게 전달하는 언어로 해서요.

영주 아~ 그래서 이 자료가 나중에 쓰일 것이라고 하셨군요.

오늘 네. 맞아요. 이것은 영주님 혼자서도 할 수 있을 것 같아요. 샘플을 하나 만들었으니, 앞선 내용을 종합해서 한 번 작성 해 보세요.

영주 그런데 좀 막막해요. 주인공이 그렇게 중요해요? 주인공은 거의 뻔하지 않을까요? 특별할 것이 없을 것 같아요.

오늘 이성재 <기획자의 노트>를 보면 주인공을 정의하는 것이 기획의 80%라고 해요. 그리고 예상했던 것과 주인공은 많이 다르기도 하고요. 책에서 '야놀자'의 사례를 분석했는데, 사람들에게 2가지로 다르게 설문을 했어요.

> 설문 1 : "올여름 여행을 떠날 계획이 있다."
> 설문 2 : "올여름, 1박 이상 놀러 갈 계획이 있다."

어떤 차이가 있는지 느껴지세요?

영주   1번 질문에서는 '여행'이란 단어를 썼고, 2번 질문은 '1박 이상 놀러'라는 단어를 썼네요. 같은 여행을 다르게 표현했네요.

오늘   네. 그런데 그런 다른 표현으로 결과가 완전히 달라졌죠.

영주   어떻게요?

오늘   1번 질문에는 '나는 여행을 자주 다니는 편이다'라고 표현하면 많은 사람이 '해당된다'는 스티커를 붙이지 않았어요. 그런데 2번 질문에 '나는 1박 이상 자주 놀러 다니는 편이다'라고 질문하니 스티커를 붙인 사람이 3배가 더 많아졌어요.

영주   와~~정말요?

오늘   그리고 1번 질문지에서 '나는 <u>여행</u>을 자주 다니지 못하는 편이다'라고 하면 스티커가 많이 붙었는데, 2번 질문지에서 '나는 <u>1박 이상 놀러</u>를 자주 다니지 못하는 편이다'라고 하면 스티커가 절반 이하로 줄어들었어요.

영주   사람들이 '여행'이라고 표현하는 것보다 '1박 이상의 놀러'라는 표현에 더 익숙하다는 것이네요.

오늘   맞아요. 그리고 사람들은 '여행'이라고 하면 '1주 이상'으로 '어디를 갈지'가 중요하고, '놀러'는 '2일 이내'로 '무엇을 할 것'인지가 중요하다는 것을 알게 되었어요. 우리가 평소에 생각해 보지 못했던 점이죠?

영주   맞아요. 별 차이 없을 것으로 생각했는데….

오늘 저도요. 그래서 책에서는 이런 말도 해요.

'정답은 언제나 타깃에게 있다'

영주 그렇네요. 여전히 어렵지만 조금 더 들여다봐야겠어요.

오늘 네. 주변에 주인공과 비슷한 환경의 사람들에게도 더 물어보고, 지금 운영하는 인스타그램의 친구들에게도 한번 물어보면 좋아요. 많이 묻고, 필요하면 설문도 해 보시고요. 우리의 주인공이 무엇 때문에 힘들어 하고, 어떤 도움을 필요하고, 무엇에 공감하는지 주인공의 입장에서 자주 생각해 볼수록 좋겠죠?

영주 네. 한 번 물어봐야겠네요.

오늘 좋아요. 직접 듣는 것이 가장 도움이 돼요. 우리는 이것을 주인공을 뾰족하게 설정해서 뾰족한 콘텐츠를 발행한다고 하죠. 뾰족한 콘텐츠는 더 단단하게 충성고객을 만들고, 더 많은 사람에게 신뢰를 받아요.

영주 그렇군요. 오늘은 정말 신기한 것들을 많이 알게 된 것 같아요.

오늘 답은 항상 주인공에게 있어요. 그래서 세스고딘 <마케팅이다>에서는 주인공을 섬기는 대상이라고 표현해요. 그만큼 정성을 다해 위한다는 것이죠. 그것이 마케팅의 시작이자 끝이라고 합니다.

영주 네. 주인공을 뾰족하게 하는 것이 중요하다는 것을 알았어요. 저도 제 주인공에게 조금 더 공들여서 관심을 기울여 봐야겠어요.

[참고 예시] 나의 브랜드 스토리 만들기

단계		내용	예시
1단계 주인공 캐릭터		주인공은 고객이지, 내가 아님 - 주인공의 지향점을 빠르고 명확하게 제시 - 원하는 것 바로 찾도록 하기	나만의 브랜딩을 꿈꾸는 당신,
2단계 난관 직면	악당	주인공을 힘들게 하는 것	브랜딩 정체성이 고민인가요?
	외적 문제	주인공의 외적적 문제	인스타, 블로그, 유튜브는 꾸준히 하고는 있는데, 나만의 차별화, 내 색깔은 도통 찾아지지 않나요?
	내적 문제	주인공의 내부적 문제	열심히 하고 있지만 잘 하고 있는 것인지 조급한 마음만 드나요?
	철학적 문제	주인공의 사회적, 거시적, 궁극적 문제	선한 영향력은 전하고 싶은데 어떻게 전할지, 무엇을 전할지 모르겠나요?
3단계 가이드와의 만남		가이드는 공감과 권위 필요 - 권위 주는 방법 (증언, 통계, 수상이력 등) - 가이드는 주인공이 아님주의	13년간 1,000명 이상의 정체성을 찾아낸 상담 전문가가 당신을 도와드립니다. "갑자기 눈물이 나요. 제 자신이 아무것도 아닌가 하는 이상한 생각들 했는데, 상처받은거 90퍼센트 이상 치유되었어요. 다시 마음잡고 하던 대로 할 수 있는 만큼 열심히 하겠어요. - 상담 후기 -" *전국대학 진로 우수사례 선정 고용노동부 주관 진로 베스트 프렉티스 수상 경영학, 상담학 석사
4단계 계획제시		계획은 신뢰를 줌 - 약속 계획, 과정 계획	상담신청 → 설문작성 → 퍼스널브랜딩 기획 보고서 → 컨설팅 → 사후관리 *반드시 당신의 정체성을 찾아드리겠습니다.
5단계 행동촉구		직접적 행동촉구	프로필 링크 접속 후 상담 신청만 하면 끝!!
		전환적 행동촉구 (안되면 ~~이라도 해요)	링크 접속을 통해 짧은 고민 상담 신청도 가능합니다. 당장 시작이 어렵다면 팔로우하고 소통 먼저 해 봐요.
6단계 실패 피하도록 도와주기		나쁜 일 피하기 - 좋은 일 경험하기	인스타와 블로그를 하며 사라진 인친, 이웃님들 너무 많으셔서 안타까워요. 포기하지 않도록 계속 멘탈 잡아드립니다. 우리 사라지지 말고, 열심히 하는 나 자신에게 확신과 응원을 보내요.
7단계 성공 맺기		고객의 삶을 어떻게 바꿔줄지 직접 말해주기 - 권력/지위, 불안감소/업무량 감소/시간절약, 영감/수용/초월	상담 이후 성공적 브랜딩 우수사례 선정 후 책 출판, 뉴스레터 제작, 채널 노출 등을 통해 지속적으로 당신의 브랜딩을 홍보해 드립니다. 당신의 선한 영향력이 널리 퍼져 나갈 것입니다.

* 도널드 밀러의 <무기가 되는 스토리> 참고

< 워크시트 10 > 나의 브랜드 스토리 만들기

단계		나의 브랜드 스토리
1단계 주인공 캐릭터		
2단계 난관 직면	악당	
	외적 문제	
	내적 문제	
	철학적 문제	
3단계 가이드와의 만남		
4단계 계획제시		

5단계 행동 촉구	직접적 행동 촉구	
	전환적 행동 촉구	
6단계 실 패 피 하 도 록 도와주기		
7단계 성공 맺기		

* 도널드 밀러의 <무기가 되는 스토리> 참고

브랜드 디자인 실습

오늘　이어서 '영주의 방'을 디자인한 내용을 직접 방에 배치해 볼게요. 먼저 '리틀리'라는 사이트가 있어요. 이곳에 영주님의 브랜드를 소개하는 내용을 정리해서 넣고, 프로필에 이 링크 하나만 걸어두시면 좋아요. 리틀리에는 내 채널에 접속한 사람의 링크 클릭 수 등 통계 분석 등도 가능하고 후원받을 수도 있어요.

리틀리 <https://app.litt.ly>

오늘　그리고 각 채널별 구성된 것들을 설명해 드릴게요. 브랜드 채널 운영방법은 후반부에 설명드릴 예정이고, 브랜드 채널 디자인, 운영에 대한 자세한 사용 방법은 다른 책과 정보들을 더 찾아보시는 것을 추천해요. 채널 기능들이 계속 업데이트되기도 해서 그때, 그때 다른 브랜드 채널들도 보고, 디자인된 것들도 참고해서 다듬어 나가면 좋아요.

- 이름 : 브랜드명과 검색 가능한 카테고리명

- 프로필 링크 : 리틀리 링크 삽입

- 하이라이트 : 스토리에 게시 후 카테고리별로 프로필에 고정 가능

- 게시물(프로필 그리들) : 릴스는 게시 후 프로필 그리들에서는 삭제 할 수 있음

- 가이드 : 내 게시물과 저장된 내용을 카테고리별로 정리 가능

- 태그 : 나를 태그한 게시물 확인 가능

블로그

- 채널명 : 어떤 정보를 제공할지 한 번에 보이도록 하기

- 사용자메뉴 : 홈편집을 통해 바로 홈화면 편집 가능

- 관련 링크 : 여러 개 링크 삽입 가능

- 블로그는 '관리 → 꾸미기 설정'을 통해 스킨 사용, 레이아웃 설정 등이 가능함

- 게시글 업로드 시에도 템플릿을 선택해 감각적인 게시물을 손쉽게 만들 수 있음

유튜브

- 유튜브 '채널맞춤설정' 채널 디자인 가능

- 채널 아트
  : 채널맞춤설정 → 브랜딩 → 채널아트 추가
  *상하좌우 사진이 잘릴 수 있으니 주의

- 링크 연결 추가 가능

- 구독 유도 버튼
  : 채널 맞춤 설정 → 브랜딩 → 워터마크
  *영상에 구독 유도 버튼 삽입 가능

오늘　영주님. 이제 '영주의 방' 디자인까지 다 끝났어요.

영주　와~ 이제 제가 운영하는 것만 남았네요 ㅠㅠㅠㅠ

오늘　다음 회기에 브랜딩 채널 운영방법을 설명해 드릴게요. 이제 퍼스널브랜딩 중반부까지 해내셨어요.

영주　이렇게 말씀하시니 많이 한 것 같기는 한데, 아직도 한 없이 부족하게 느껴지네요.

오늘　영주님. 이치조 미사키 <오늘 밤 세계에서 이 눈물이 사라진다 해도> 에 이런 문장이 있어요.

> 약간 무리해서라도 할 수 있는 일이 있다면,
> 약간 무리해서라도 하고 싶은 일이 있다면,
> 그건 행복한 일이라고 생각해.

영주님은 지금 행복하지 않으세요?

영주　저요…. 맞아요. 하고 싶은 것을 하니 행복한 일이에요.

오늘　그리고 너무 잘하고 계시고요. 오늘은 보이차를 드릴게요. 보이차는 카페인도 없고, 고소해서 마시기 좋아요.

■ 브랜드 콘셉트 6단계
1. 주인공 설정
2. 채널 결정
3. 파트너 분석
4. 브랜드 디자인(주력분야, 브랜드명, 슬로건, 브랜드 소개글, 컬러, 키워드)
5. 브랜드 스토리
6. 브랜드 디자인 실습

(3) '영주만의' 차별화된 콘텐츠는 이렇게 만들면 돼요.

영주　오늘님. 저는 여전히 제가 어떤 콘텐츠를 올려야 할지 모르겠어요. 콘텐츠 아이디어가 매번 부족해요. 콘텐츠는 창의력 좋은 사람들만 할 수 있는 것 같아요. 제 콘텐츠는 반응도 별로 없어요. 벽에 대고 소리 지르는 느낌은 여전한 것 같아요. 답답해요.

오늘　영주님. 반응 좋은 콘텐츠를 지속해서 발행하는 것은 고수들도 힘들어요. 우리가 익히 아는 주언규 <슈퍼노멀>을 보면 운과 실력의 영역을 나눠서 설명해요.

영주　운과 실력의 영역이요?

오늘　네. 먼저 실력을 쌓도록 해요. 주인공에게 질 좋은 서비스를 줄 수 있는 실력이요. 그 실력을 닦는 게 우선이에요. 그리고 최대한 낮은 비용과 시간을 들여 여러 번 시도해 운의 확률을 높이는 것이죠.

영주　운의 확률을 높여요?

오늘　네. 더 많은 곳에 운이 들어올 수 있는 장치를 걸어두면 운의 확률이 높아지겠죠? 여러 장치들 중에 운과 타이밍에 맞는 장치에서 더 많은 사람이 볼 수 있죠. 영주님이 운영하는 인스타그램을 예를 들면, 스토리에도 공유하고, 릴스도 올리고, 프로필에도 홍보하고, DM도 보내고 할 수 있는 것들을 다 해 보는 것이죠.

영주 아~ 그렇게요? 근데 그런 것도 다 하고 있는데….

오늘 이제 우리는 운이 들어오길 기다려야죠. 지금처럼 실력을 쌓고, 다양한 방법으로 시도해 가면서 운이 오길 기다리면 돼요. 많은 사람이 운의 영역을 가볍게 생각해요. 하지만 운의 영역을 남겨놓는 것은 마인드 컨트롤에도 도움이 돼요. 그리고 실제로도 생각보다 운의 영역이 커요. 우리의 브랜딩이 천천히 두각을 보일 날이 올 것입니다. 포기하지만 않으면요. 우리는 지금 할 수 있는 것을 해요.

영주 네. 지금은…. 그래 볼게요.

오늘 네. 그리고 오늘은 질 좋은 콘텐츠를 꾸준히 발행하는 방법을 알려드릴게요.

영주 와~ 네. 콘텐츠 질까지도 기대 안해요. 좋지 못해도 꾸준히 할 수 있는 뭔가가 있었으면 좋겠어요. 매번 고민하는 것도 너무 힘들어요.

오늘 맞아요. 처음에는 익숙하지 않아서 매번 고민하는 일이 쉽지 않을 거예요. 가장 먼저 생각할 것은 주인공에게 재미와 감동, 편리함 중 어떤 것을 줄 것인가입니다. 이는 자청 <역행자>에 나왔는데, 우리가 자기 탐색 단계에서 생각해 보기도 했었죠.

■ 주인공에게 도움을 줄 방법

1. 재미   2. 감동   3. 편리함

오늘   앞선 상담들을 통해 어떤 것, 어떤 방식으로 주인공에게
     줄 것인지 생각해 봤죠? 워크시트도 작성해 봤고요. 그
     것들을 자꾸 보고, 되짚어 보면 도움이 될 것입니다.

영주   네. 그럴게요.

오늘   그리고 콘텐츠를 구상할 때에는 주인공이 정말로 확실하
     게, 어떤 것에 관심이 있는지 찾아봐야겠죠?

영주   네. 그런데 콘텐츠를 매일 올리는데 그때마다 일일이 물
     어볼 수도 없는데, 좋은 방법이 없을까요?

오늘   키워드를 검색해서 인기검색어 등을 찾아볼 수 있어요.
     참고가 될 사이트를 좀 알려드릴게요. 이 곳에서 인기
     키워드를 검색해 보고, 키워드를 조합하면 돼요. 이 중
     네이버 검색 광고 사이트 사용법은 더 설명해 드릴게요.

사이트명	주요 내용
네이버 데이터랩	https://datalab.naver.com/ 네이버 검색 트렌드 및 급상승 검색어 이력, 쇼핑 카테고리별 검색 트렌드 제공
판다랭크	https://pandarank.net/ 이커머스 및 콘텐츠 데이터 분석 플랫폼
블랙키위	https://blackkiwi.net/ 빅데이터 기반 키워드 분석 플랫폼, 각종 키워드 분석량 조회 및 분석
네이버 검색광고	https://manage.searchad.naver.com/ 네이버 광고를 위한 검색어 조회, 데이터 추출가능

네이버 키워드 추출 방법

① 네이버 검색 광고 → 로그인 → 오른쪽 상단 '광고플랫폼' → 도구 → 키워드 도구

② 나의 키워드 입력(5개 입력 가능) → 연관 검색어 1,000개 관련 데이터 확인

③ 다운로드 후 엑셀을 통해 관리 가능

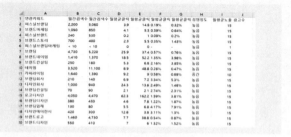

오늘   여기 들어가서 키워드들을 보면서 어떤 것들을 관련해서
       많이 검색했는지 찾아볼 수 있어요. 이 검색어들을 중심
       으로 내가 어떻게 콘텐츠로 풀어갈지를 생각하면 돼요.

영주   이렇게 다운도 가능하군요. 신기하네요.

오늘   다른 키워드 사이트들도 들어가 보면 도움이 돼요.
       많은 콘텐츠 아이디어를 얻을 수 있죠. 그리고 한 가지
       더 말씀드리면 네이버 지식인 카테고리 아시죠? 그곳에
       서 내 카테고리에 해당하는 질문들을 보면 주인공들이
       어떤 것에 관심이 많고, 어떤 도움을 필요로 하는지 알
       수 있어요. 지식인 질문에 답변을 달아보는 것도 나의
       주인공들에게 줄 서비스 방향을 잡는 데 도움이 돼요.
       저도 초반에 퍼스널브랜딩 상담을 준비할 때에 네이버
       지식인의 자주 묻는 질문들에 답변해 준다고 생각하고,
       블로그에 글을 쓰며 제 콘텐츠들을 만들어 가기도 했어요.

영주   궁금하고, 불편한 것들을 해결해 주기 정말 좋네요.

오늘   그렇죠. 그리고 콘텐츠는 4가지로 분류할 수 있어요.

■ 콘텐츠 4가지 분류

1. 주력 콘텐츠 : 내가 전하고 싶은 메시지
2. 데일리 콘텐츠 : 비교적 수월한 지속 발행 가능 콘텐츠
3. 수요 콘텐츠 : 주인공(타깃)이 궁금해할 콘텐츠
4. 홍보 콘텐츠 : 나의 브랜드를 홍보할 콘텐츠

오늘   우리는 이 4가지 콘텐츠를 구상하고 <워크시트 11>에 정리해 볼게요.

영주   4가지로 나눠서요? 한 가지 콘텐츠도 찾기 힘든데

오늘   4가지로 나눠서 월간으로 혹은 주간으로 비율에 맞춰서 발행할 계획을 세우는 거죠. 한 번 구성에 맞게 계획을 세워두면 이후에는 발행만 하면 되니, 오히려 걱정을 덜 할 수 있어요.

영주   그럴 수도 있겠네요.

오늘   정진호 <인스타그램퍼스널브랜딩>은 콘텐츠를 조금 다른 형태의 4가지로 분류하고, 효과적으로 콘텐츠를 발행하는 순서를 추천해줬는데, 다음과 같아요.

1. 나를 인식하게 할 수 있는 '루틴 콘텐츠'
2. 적극적으로 소통할 '참여형 콘텐츠'
3. 내 브랜드의 필요성을 인식할 '정보성 콘텐츠'
4. 내가 전하고자 하는 메시지를 응축한 '오리지널 콘텐츠'

영주   아~ 이 순서대로 하면 정말 도움이 되겠네요. 근데 책에서 말하는 참여형 콘텐츠는 어떤 거예요?

오늘   설문이나 이벤트, 댓글을 달도록 유도하는 것들이 있어요. 인스타그램을 하다 보면 나눔 이벤트를 종종 볼 것입니다. 이건 블로그나 유튜브도 마찬가지예요. 다양한 나눔 이벤트들을 통해 주인공들에게 도움도 주고, 주인

공들과 더 단단하게 하게 되기도 하죠. 더 많은 '영주의 방' 이용자들도 모을 수 있고요.

영주   그런 것들도 있었군요.

오늘   네. 퀴즈 콘텐츠들도 있어요. 그리고 '참여형 콘텐츠'가 아니더라도 인스타그램의 캡션이나 블로그의 글 마지막 부분, 유튜브의 마지막 멘트나 댓글을 통해 주인공들에게 질문을 던져서 참여를 유도할 수 있어요.

    또한 발행 비율도 중요해요. 홍보성 콘텐츠나 데일리 콘텐츠가 너무 많으면 주인공들은 내 브랜드의 필요성을 느끼지 못할 수 있어요. 그러니 수요 콘텐츠나 주력 콘텐츠들을 통해 내 브랜드의 메시지와 필요성을 자꾸 느끼게 해 줘야겠죠?

영주   그렇네요. 비율도 고려 해 볼게요.

오늘   이제 콘텐츠를 앞서 말씀드린 것처럼 분류해서 기획을 해 보려고 하는데요. 콘텐츠를 기획하는 첫 번째 방법은 앞서 파트너 분석을 한 것을 바탕으로 나의 관점과 경험, 노하우를 섞는 것입니다. 예를 들면, 육아 계정 중에 자녀 교육에 도움이 되는 책을 소개하는 콘텐츠가 인기가 있었다면, 영주님은 거기에 그 책에서 소개하는 방법을 실제로 해 보고, 후기를 전달하거나, 관련된 아이의 생각을 들어보고, 추가해서 올리는 것이죠.

영주   아~ 그렇게 경험을 섞는 거군요.

오늘   그렇죠. 그러면 나만의 콘텐츠가 되는 것이니까요. 안성
은 <믹스>에는 다양한 믹스 방법들이 나와 있어요.

■ '믹스'의 방법

1. 다윗과 골리앗 섞기
2. A급과 B급 섞기
3. 상식과 비상식 섞기
4. 기술과 인간 섞기
5. 사기업과 NGO 섞기
6. 따분함과 즐거움 섞기
7. OLD와 NEW 섞기
8. 필수품과 사치품 섞기
9. 모범생과 날라리 섞기
10. 본캐와 부캐 섞기
11. 덕후와 방송국 섞기
12. 창조자와 모방자 섞기
13. 세일즈맨과 디자이너 섞기
14. 창조성과 제약 섞기
15. 한국과 세계 섞기
16. 시골과 도시 섞기
17. 뜨거움과 차가움 섞기
18. 익숙함과 낯설음 섞기
19. 아이와 어른 섞기

영주   좋은 방법이네요. 그리고 또 다른 방법은 없어요?

오늘   콘텐츠를 주인공의 시간과 공간, 상황, 채널의 특성에 맞
게 구상하는 거예요. 장문정 <왜 그 사람이 말하면 사고
싶을까>를 보면 잘 사게 만드는 사람의 9가지 언어습관
이 나와요.

■ 잘 사게 만드는 사람의 9가지 언어습관

1. 타깃언어 : 고객의 니즈를 간파하라
2. 시즌언어 : 잘 사게 되는 시간을 노려라
3. 공간언어 : 같은 제품도 특별한 곳에서 사라

---

4. 사물언어 : 눈 앞에 보여야 믿는다.
5. 공포언어 : 끔찍한 진실을 알린다
6. 저울언어 ; 경쟁 대상과 비교하라
7. 비난언어 : 모두까기는 강력한 전략이다.
8. 선수언어 : 예측과 제압이 중요하다
9. 통계언어 : 정확한 숫자로 승부하라

오늘　우리는 이를 콘텐츠에 활용 해 볼 수도 있겠죠?

타깃을 노리는 언어를 사용하거나 콘텐츠를 뾰족하게 하거나 계절이나 시즌에 맞춘 콘텐츠를 발행하는 것이죠. 그리고 공간을 살려서 콘텐츠를 구상할 수도 있고, 사물을 잘 보이게 해서 호기심을 유발할 수도 있어요. 공포감을 자극하는 것도 방법이고요. 그리고 다른 것과 비교하는 콘텐츠도 가능하겠죠? 예를 들면, 두 가지 육아서적 또는 학습방법을 비교할 수 있죠. 이런 식으로 하면 다양한 콘텐츠들을 만들어 낼 수 있어요.

영주　그럴 것 같아요. 혹시 다른 방법이 더 있나요?

오늘　과정을 콘텐츠화하는 것이 중요해요. 완성작이 아니어도 과정 속에서 배운 점과 느낀 점, 노력해 가는 과정을 데일리 콘텐츠로 구성할 수 있어요. 예를 들면 '한 달간 육아서적 5권 읽고 배운 점' 이런 식으로요. 렘군 <아웃풋법칙>에서는 사람들은 어떠한 계기로 꾸준한 노력을 해서 성장을 이룬 스토리를 열광한다고 해요.

영주   과정 콘텐츠화는 당장 시작할 수 있는 방법이네요.

오늘   그리고 좀 더 아이디어를 드리자면, 기존 콘텐츠들에 발상을 전환하는 방법도 있어요. 예를 들면 '초등학생의 직장인반 포토샵 강의 수강기'나 '아이가 하는 엄마육아', '어른이 읽는 동화책' 같은 것들이요.

영주   근데 너무 많아서 뭐부터 해야 할지 모르겠어요.

오늘   그러니 아이디어를 바로 메모하고, 메모한 아이디어를 처음에 말씀드렸던 콘텐츠 분류로 구분한 후, 요일과 계절, 시즌, 장소 등에 맞혀서 월간 또는 주간 발행 계획을 세우는 것이죠. 요일에 따라 주인공의 심리적 변화에도 주목해야 해요. 주말은 머리를 식히고 싶거나 여행을 가고 싶은 경우가 많아서 주인공의 마음과 함께 할 수 있는 콘텐츠들이 좋죠.

콘텐츠 아이디어 나열
→ **콘텐츠 구분(전략,수요,데일리,홍보)**
→ **요일 또는 계절, 시즌 맞춤 콘텐츠로 분류**

영주   그렇겠네요. 그런데 콘텐츠를 게시하다 보면 주인공들의 반응이 좋은 것들이 있어요. 그 중 어떤 것은 조회수가 높은 데 공감이 별로 없고, 어떤 것은 조회수나 공감은 높은데 저장이나 공유는 없어요. 왜 그럴까요?

오늘   맞아요. 콘텐츠에 대해 주인공이 반응하는 방식은 크게
조회수, 좋아요, 저장, 공유 4가지가 있죠. 이 4가지 반
응은 저마다 다른 의미와 특징이 있어요. 이 특징들을
잘 활용하는 것도 좋은 방법이에요.

(1) 조회수를 부르는 콘텐츠
조회수를 부르는 콘텐츠는 공감과 호기심이 포인트입니다.

초반 이미지 (썸네일)	신기한 이미지, 반전 이미지, 결과가 궁금해지는 이미지, 과정이 궁금한 이미지, 귀여운 이미지 (아이, 동물), 예쁜 이미지(감동) 등
두괄식 문장	첫 문장에 호기심과 기대를 주어야 함
제목 문구 (후킹)	1. ~ 하는 가장 확실한 방법 2. 내가 ~ 하는 이유 3. 나만 아는 ~ 비결 4. 내가 ~ 달 동안 ~ 하고 느낀 점 5. ~ 하는 사람들의 성공법칙 6. 미리 알았으면 좋았을 ~ 것들 7. 내가 ~ 을 ~ 가지 하고 느낀 점 8. 당장 ~ 해야 하는 이유 9. 바로 활용 가능한 ~ 방법 10. 단 ~ 분 만에 ~하는 방법 11. 무조건 성공하는 ~ 법칙 12. 안 보면 손해 보는 ~ 방법 13. 절대 ~ 하지 마세요

(2) 공감을 부르는 콘텐츠
공감을 부르기 위해서는 주인공을 세심하게 분석해야 합니다.

주인공 특성	예1) 워킹맘의 육아 과정을 보여주는 콘텐츠 예2) 직장인이 겪을 수 있는 상황 묘사 콘텐츠
장소나 상황	예1) 육아맘이 벌어질 수 있는 상황 콘텐츠, 예2) 키즈카페에서 일어날 수 있는 일
시즌	예1) 가을이면 가고 싶은 곳 예2) 겨울에 생각나는 음식

(3) 저장을 부르는 콘텐츠
저장 콘텐츠는 다시 보고 활용 또는 기억하고 싶은 콘텐츠입니다.

관심있는 정보가 담긴 콘텐츠	예) 상황별 책추천
배우거나 따라하고 싶은 콘텐츠	예) 릴스 사용 방법
경험의 노하우가 담긴 콘텐츠	예) 나만의 독서 노트 정리법
흩어진 정보를 한눈에 보기 좋게 정리한 콘텐츠	예) 도움이 되는 사이트 정리

(4) 공유를 부르는 콘텐츠
공유를 부르는 콘텐츠의 핵심은 소통의 요소를 갖추는 것입니다.

재미와 감동을 주는 콘텐츠 (이거 봤어?)	예) 명사의 강연 중 감동을 주는 메시지가 있는 영상
함께 이야기할 거리가 있는 콘텐츠 (여기 같이 갈래?)	예) 연인과 함께하기 좋은 여행지
누군가에게 알려주고 싶은 콘텐츠 (이럴 때 이렇게 하면 된대~)	예) 제주여행에서 조심 할 것들
챌린지 (이거 해 볼래?)	예) 댄스 챌린지

영주   이렇게 구분해서 보니, 이해가요. 근데 콘텐츠를 준비하면서 이 4가지를 다 충족시킬 수는 없을 것 같은데요?

오늘   맞아요. 그래서 우리는 콘텐츠를 구분해서 조회수, 공감, 저장, 공유를 노릴 수 있어요. 가령 수요 콘텐츠는 '저장'반응을 중심으로 콘텐츠를 기획해 보고, 홍보성 콘텐츠는 '공유'를 중심으로 콘텐츠를 기획하는 것이요.

> **주력 콘텐츠 → 4가지 반응 모두 참고**
> **수요 콘텐츠 → '저장' 반응 참고**
> **홍보 콘텐츠 → '공유' 반응 참고**
> **데일리 콘텐츠 → '조회수', '공감' 반응 참고**

영주   그것도 어려워요.

오늘   그럴 수 있어요. 그래서 계획을 세우는 것이 중요하죠. <워크시트 11>에 앞선 설명 내용을 바탕으로 한 번 작성 해 볼게요. 1번 항목에 콘텐츠 분류별 방향성을 적어보고, 2번 항목에 세부 콘텐츠 발행 계획을 세워보는 거죠. 참고 예시처럼 날짜별로 해도 되고, 요일만 적고, 요일별로 발행할 콘텐츠를 세팅해 놓을 수도 있어요. 해당 요일마다 시리즈로 콘텐츠를 발행하면, 다음 콘텐츠 고민도 덜 하고, 충성고객을 모으기도 좋죠.

[참고 예시] 나의 콘텐츠 구상하기

1. 콘텐츠 분류별 방향성

콘텐츠 구분	내용	나의 콘텐츠 구상
주력 콘텐츠	내가 전하고 싶은 메시지가 담긴 콘텐츠	퍼스널 브랜딩 방법, 목적, 필요성
데일리 콘텐츠	비교적 수월하게 지속해서 발행 가능한 콘텐츠	퍼스널 브랜딩 노력 과정, 관련 책 추천
수요 콘텐츠	주인공이 궁금해할 콘텐츠	퍼스널 브랜딩 세부 방법, 노하우
홍보 콘텐츠	나의 브랜딩을 홍보할 콘텐츠	퍼스널 브랜딩 자료 나눔 이벤트

2. 콘텐츠 발행 계획

발행일(요일)	콘텐츠 구분	콘텐츠 주제	기타 사항
12월 4일(월)	주력 콘텐츠	퍼스널브랜딩이 필요한 이유	
12월 5일(화)	데일리 콘텐츠	브랜딩 책 추천	
12월 6일(수)	수요 콘텐츠	카피라이팅 방법	
12월 7일(목)	주력 콘텐츠	퍼스널브랜딩의 주요 단계	
12월 8일(금)	홍보 콘텐츠	퍼스널브랜딩 자료 나눔이벤트	
12월 9일(토)	데일리 콘텐츠	퍼스널브랜딩 책탑	
12월 10일(일)	수요 콘텐츠	콘텐츠 기획하는 방법	

< 워크시트 11 > 나의 콘텐츠 구상하기

1. 콘텐츠 분류별 방향성

콘텐츠 구분	나의 콘텐츠 구상
주력 콘텐츠	
데일리 콘텐츠	
수요 콘텐츠	
홍보 콘텐츠	

2. 콘텐츠 발행 계획

발행일 (요일)	콘텐츠 구분	콘텐츠 주제	기타 사항

오늘 고생 많으셨어요. 이 부분이 좀 어려워요. 근데 이게 루
틴화되면 훨씬 편할 수 있어요. 1주일에 한 번씩 구상
하면, 이후부터는 고민 안 해도 되니까요. 물론 중간에
생각이 바뀌면 수정하면 되고요.

영주 그건 알겠는데, 문득 이렇게까지 해야 하나 하는 생각이
들었어요.

오늘 영주님께 맞는 방법으로 하시면 돼요. 한 번에 아이디어
를 짜 놓는 것이 너무 어려우면 그때, 그때 하시면 돼
요. 대신 그런 경우는 발행 후에 발행 내용을 콘텐츠 분
류별로 메모해 놓으면 다음 콘텐츠 발행할 때에 좀 편
할 수 있겠죠. 예를 들면 '이번 주는 데일리 콘텐츠를
많이 발행했으니 이제 주력 콘텐츠를 한 번 올려야겠다
하는 식으로요.' 그리고 보통 인스타그램과 블로그의 경
우는 게시물 발행에 익숙해지고, 루틴화를 위해 1일 1
게시물 발행을 챌린지처럼 많이들 하세요. 영주님도 인
스타그램에 매일 발행하는 것을 목적으로 해서 계획하
셨죠? 그런데 나중에 유튜브를 고려 중이시면, 유튜브
는 작업 시간이 좀 더 길기도 해서 1주일에 몇 회 발행
하는 것으로 계획을 세워도 됩니다.

영주 어렵네요. 머리가 잘 안 돌아가서 큰일이에요.

오늘 안 하던 것을 하려니 더 어렵고 힘들 것입니다. 김혜남
<만일 내가 인생을 다시 산다면>에 이런 문구가 있어요.

상황은 변한 게 없었다.

다만 바뀐 것은 그녀의 생각이었다.

그녀가 그들의 역사 대신

자신의 역사를 써나가기로 마음먹은 것이다.

영주님은 지금 영주님의 역사를 써나가기로 마음먹었어요. 그리고 이렇듯 멋지게 써 내려가고 있죠. 중반부를 넘어오기까지 많이 고되셨을 것입니다. 하지만 영주님은 충분히 영주님의 역사를 멋지게 써 내려가고 계세요.

영주 어쩌면 이렇게 머리 아프게 고민하고, 노력하는데 잘 안될 것 같아서 불안한 마음에 더 힘들어졌던 것 같아요.

오늘 영주님. 꾸준함의 힘을 믿어요. 그리고 영주님 자신의 특별함을 믿어주세요. 퍼스널브랜딩은 나를 믿고 나아가야해요. 지금 영주님은 눈부시게 반짝거리고 있어요.
오늘은 머리를 너무 많이 쓰셨으니, 몸을 안정시켜주고 긴장을 완화해 주는 대추차를 드릴게요.

■ 브랜드 콘텐츠 기획방법

1. 파트너 벤치마킹
2. 키워드 찾기
3. 믹스
4. 4가지 콘텐츠 유형분류

5. 시/공간 등 활용하기
6. 과정 콘텐츠화
7. 4가지 반응을 부르는
   콘텐츠 기획

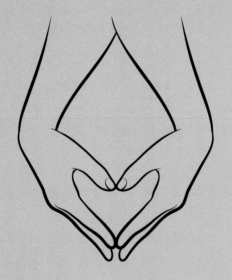

Personal Brand!

나를 더 사랑하게 하는 퍼스널브랜딩 상담

Part 4.
어떻게 하면
내 브랜드가
성공할 수 있을까요?

Part 4. 어떻게 하면 내 브랜드가
성공할 수 있을까요?

(1) SNS 채널 운영, 이것은 놓치면 안 돼요.

영주 오늘님. 저는 솔직히 조급하고 불안해요. 이렇게 하면 진
　　　짜 될까…. 내가 진짜 내 브랜드를 만들 수 있을까….
　　　하는 생각이 들어요. 수익화까지는 아니더라도 많은 사
　　　람에게 공감을 사는 것만으로도 만족할 수 있는데, 그것
　　　마저 어렵고 힘든 느낌이 들어요. 이것도 힘들고 지치는

데 수익화까지 내가 갈 수 있을까 하는 생각도 들어요.

오늘 그러셨구나⋯. 그럴 수 있어요.

영주 네⋯. 저를 믿고 달려야 하는데, 자꾸 주변 눈치만 보고, 주눅 들고, 불안해져요. 제가 저 자신을 못 믿는 것 같아요. 나조차 믿지 못한 브랜드를 누가 믿어줄까 하는 생각도 들어요. 내가 내 브랜드를 믿어야 다른 사람들도 믿어줄텐데⋯. 특히 요즘 가장 저를 확신없게 만드는 것은 제 브랜드 채널에 반응이 미적지근하다는 거예요. 열심히 콘텐츠도 계획하고, 아직 서투르지만, 예정대로 게시물도 올려보고 있는데, 팔로우가 잘 안 늘어나는 것 같아요. 조회수도 너무 천차만별이고요. 사람들이 무엇을 좋아하고, 무엇에 관심 있는지 정말 감이 안 잡혀요. 게시물 조회수도 안 나오고, 팔로우도 늘지 않는데 제 브랜드가 성공할 수 있을까⋯. 하는 생각이 들어요. 이런 것들이 가장 중요한 것 아닌가요? 팔로우가 안 늘어도 브랜드가 성공할 수 있을까요?

오늘 많은 사람이 퍼스널브랜딩을 팔로우 늘리는 법이라고 생각해요. 보통 사람들이 퍼스널브랜딩의 성공 여부를 인스타그램 팔로우 수와 유튜브 구독자 수, 블로그의 조회수 등 '브랜드 채널 수치'로 판가름하는 경우들이 많아요. 하지만 '브랜드 채널 수치'는 퍼스널브랜딩의 서비스 또는 상품을 홍보하는 한 가지(!) 방법일 뿐이에요. 왜냐하면 우리 브랜딩의 가치를 인정받고, 신뢰받으며, 확장해 나갈 방법은 생각보다 많거든요. 물론 브랜드 채널 수치가 높으면 좋아요. 내 브랜드를 인정받고, 수익화하는데 마케팅 포인트로 그만한 것이 없어요. 하지만 우리는 마케팅보다 브랜딩에 집중해야 해요.

정진호 <인스타그램퍼스널브랜딩>에서는 마케팅과 브랜딩의 차이를 '시간'과 '인식'이라는 두 단어로 요약해요. 마케팅과 다르게 브랜딩에서는 브랜드의 가치와 의미를 고객이 제대로 '인식'하기까지는 상당한 '시간'이 걸린다는 것이죠. 즉각적인 반응과 구매를 유도하는 마케팅과는 달리, 브랜딩은 브랜드가 탄생하여 가치가 인식되기까지 많은 시간과 노력이 필요로 하다고 해요.

그만큼 퍼스널브랜딩은 마케팅보다는 더 긴 호흡을 요구하지만, 또 그만큼 롱런하기 좋은 방법이죠.

고객은 긴 시간을 함께하며 신뢰가 쌓인 브랜드는 무엇을 판매해도 믿고 구매하고, 마음을 잘 돌리지도 않거든요.

영주　그렇군요.

오늘　저는 마케팅보다 브랜딩에 먼저 집중했어요. 그래서 많은 것들을 얻을 수 있었어요.

영주　어떤 것들이요?

오늘　저는 인스타그램 채널을 운영하면서 브랜딩 설계 작업에 집중했어요. 인스타그램 마케팅에 집중하면 보통 팔로우 1,000명까지는 먼저 팔로우하는 작업 등으로 어렵지 않게 확보할 수 있어요. 어떻게 보면 많은 숫자는 아니에요. 하지만 저는 팔로우 1,000명을 만드는 것보다 제 브랜드를 설계해서 제가 전하고 싶은 메시지를 찾는 것을 우선했어요. 내 주인공이 누구이고, 나는 어떤 방향으로 나아가는 것이 좋을지 어떤 순서로 실천할지를 계획하고 실력을 쌓는 일에 집중했죠. 꾸준히 콘텐츠들을 발행하며, 주인공의 반응을 분석하고 수정과 보완하며, 나만의 관점으로 소수에게라도 신뢰를 쌓는 것을 중요하게 여겼어요. 그랬더니 팔로우는 느리게 증가했지만, 만족스러운 성과들이 이어졌어요.

영주 만족스러운 성과들이요?

오늘 네. 먼저 제 브랜드를 확신하게 되었다는 것이에요.
브랜드 채널이 느리게 성장하면 어떤 날은 조바심이 나기도 하고, 답답하기도 해요. 저도 그랬죠. 하지만, 그것도 이내 다시금 재정비할 계기로 삼았어요. 아마 초반에 빠르게 성장했으면 그런 기회를 만들 생각도 못 했을 것 같아요. 느리게 성장하며 내 브랜드만의 관점이 무엇인가를 더 고민하고, 그것을 표현하는 방법들을 다듬어 나갔어요. 그리고 특히 주인공을 더 뾰족하게 잡으며, 그들의 이야기를 진지하게 듣고 해결방법들을 찾으려고 노력

했죠. 그랬더니, 너무 바빴어요. 주인공에게 이것도 해 주고 싶고, 저것도 해 주고 싶어서요. 꿈에서도 고민했던 것 같아요.

영주 긍정적이시네요. 정말…. 저는 무너질 것 같은데….

오늘 영주님도 성장이 더뎌질 때는 '영주의 방'의 주인공을 좀 더 세밀하게 관찰하는데 에너지를 할애해 보세요. 그들이 어떤 상황에 있고, 어떤 도움이 필요하고, 어떻게 도와줬을 때 좋아할 것인지 그런 것들에 고민을 더 해 볼 시점으로 여기는 것이 좋아요.

영주 좋은 방법이긴 하네요. 실력을 쌓는데 몰입하면 스트레스를 유익하게 활용할 수 있겠네요.

오늘 맞아요. 어쩌면 스트레스를 실력을 쌓아가는 기회로 역이용한 것 같아요. 그 기간 동안 실력을 쌓기 위해 인풋과 아웃풋들을 많이 만들어냈어요. 관련 도서를 100권 정도 읽고, 5개월 동안 블로그에 700여 개의 글을 발행했고, 인스타그램에는 1일 1 게시물을 꾸준히 발행하고, 브런치 작가로 승인되었고, 워드프레스 등의 다른 형태의 채널들에도 기록들을 남겼어요. 그렇게 쌓아둔 저의 모든 기록은 나중에 책과 상담을 위한 귀한 재산이 되었죠.

영주 책 100권이요? 블로그 글을 5개월에 700여개 발행이 가능한 거예요? 저는 그렇게까지는 못할 것 같은데

오늘 그렇게 안 하셔도 돼요. 처음 상담할 때에 말씀드린 것

처럼 저는 퍼스널브랜딩을 상담을 더 잘 해 보려고 욕심 껏 했던 것 같아요. 제 분야 특성상 공부와 글쓰기가 주가 되다 보니 그렇게 되었던 것 같아요. 그러니 꼭 그래야 한다는 생각은 안 하셔도 돼요.

영주   다행이네요. 순간 식겁했어요. 근데 정말 스트레스를 기회로 잘 이용하셨네요.

오늘   그렇게 실력에 집중했더니 느린 성장 중에도 운명처럼 귀한 인연과 기회들을 만났어요. 팔로우 500명대에 서평 요청들을 받았고, 팔로우 900명대에 출판사로부터 출판 제의를 받았어요. 말씀드린 것처럼 팔로우 500~900명은 브랜드 채널 수치가 높은 수준이 아니에요. 하지만 그런데도 제 메시지를 계속 전하니, 기회들이 온 것 같아요.

영주   신기하네요. 정말. 그래서 출판을 하신 거예요?

오늘   아니요. 그때는 아직 준비되지 않아서 출판 제의는 거절했지만, 이후 '이제 되었다.' 싶었을 때, 따로 혼자 책을 쓰기 시작했는데, 그 타이밍에 귀인을 만나 책 출판을 코칭 받을 수 있었어요. 정말 운명 같았죠.
이 외에도 체험단 등을 통해 간접 수익을 만들었고, 소액이지만 광고비도 받았고, 좋은 강의, 전자책, 도서지원들을 받았어요. 지역 내의 인스타그램 친구들과 지역 모임을 꾸리고, 마음 맞는 소수의 인스타그램 친구들과 온라인 독서 모임도 이끌어갔어요. 멀게 느껴졌던 작가님께서는 필요할 때 북토크를 해 주겠노라 약속도 해 주셨고, 모르는 것들을 물어보고 함께 의논해 나갈 파트너 같은 인연들도 생겼어요. 나중에 협업해 나갈 수 있는 귀한 인연과 기회를 온라인 세계를 통해 얻었어요.

영주 정말 팔로우가 많지 않아도 많은 기회가 생기네요.

오늘 맞아요. 귀한 인연과 기회들로 브랜드 채널 수치 외에도 다른 부분에서 성취감을 느꼈죠.

영주 그럴 수도 있겠네요.

오늘 그렇게 시간을 보내니 꿈을 이루는 것은 점점 더 자연스러운 일로 느껴졌어요. 저의 목적과 길이 분명해지며, 어쩌면 제가 그린 꿈과 형태는 달라질 수 있겠지만, 꿈이 현실이 되는 것은 당연한 일처럼 여겨졌죠. 꿈으로 가는 길 속에 크고 작은 포기들은 있겠지만, 꿈을 꾸고 나아가고자 하는 것에는 포기하지 않을 것 같았어요. 그리고 제 옆에는 든든한 지원군들이 생겼죠.

영주 든든한 지원군들은 온라인 친구들을 말씀하시는 거예요?

오늘 온라인 친구이기도 하고, 제 꿈을 알고 있는 많은 사람들이 저를 응원해주었어요. 설계가 구체적이고 치열하게 실력을 쌓아나가니 꿈을 응원하고, 신뢰했어요.

영주 부럽네요.

오늘 그리고 그 과정은 나 자신을 더 사랑하게 했죠.

나를 믿고, 꿈을 확신하고, 주변의 신뢰도 얻으니, 어느새 나 자신에게도 나의 브랜드가 최고이며, 나 자신이 멋진 사람이라는 것이 당연하게 느껴졌어요.

영주 마지막이 가장 부럽네요.

오늘 이 모든 것들은 제가 인스타그램 팔로우 1,000이 되기 전의 일들이에요. 브랜드 채널 수치가 빠르게 늘어나는 것은 대중을 빠르게 설득했다는 큰 의미가 있어요. 멋지고 대단하고, 부럽기도 한 일이에요. 하지만, 그렇게 되지 않아도 괜찮아요. 김난도 외 10<트렌드 코리아 2024>를 보면 팔로워 수에 따른 인플루언서를 5가지 유형으로 나눴는데, 그 중 팔로우 1만 미만을 '나노 인플루언서'라고 해요. 그리고 사람, 콘텐츠 등을 따라서 구매하는 것을 '디토소비'라고 하는데요. 책에서는 '나노 인플루언서'는 뚜렷한 아이덴티티를 가지고 있고 팔로워와 긴밀한 관계를 유지하고 있어서 팔로워수가 50만 이상인 '메가'나 '매크로' 인플루언서보다 디토소비의 구매 전환에 적합하다고 해요. 인스타그램의 팔로우 1만 이상이 할 수 있는 것이 있고, 5,000대에서 할 수 있는 것들이 있고, 1,000대에서 할 수 있는 것들이 있어요. 모두가 빠르게만 성장할 수는 없잖아요. 물론 온라인 채널 활용 기술은 중요해요. 가장 중요한 마케팅 도구이니까요.

단, 너무 조급하게 수치적 성과만을 생각하진 않는 것이 좋아요. 지금 규모에서 할 수 있는 것을 하면 돼요.

영주 네. 조급해하지 않고, 지금 할 수 있는 것을 할게요.

오늘 브랜드 채널을 운영하는 것은 영주님의 메시지를 전달하고, 아웃풋들을 쌓아가는 데 필요한 것이죠. 채널을 운영하는 데 꼭 필요하다며 권하는 것들이 많아요. 그것들을 참고로 여기시되, 할 수 있는 만큼만 하세요. 초기에는 지속하는 루틴이 중요합니다. 포기하지 않는 것이 가장 중요해요.

영주 네. 딱 지금 저에게 필요한 말들이네요. 너무 채찍질만 하지 않겠어요. 일단 마음부터 좀 진정시켜 볼게요.

오늘 좋아요. 오늘은 영주님이 궁금해하시는 브랜드 채널 운영 방법에 대해 알려드리려고 해요. 오늘은 워크시트를 작성하지는 않고, 설명만 드릴게요.

영주 네. 열심히 듣고, 메모할게요.

오늘 네. 퍼스널브랜딩을 위한 채널은 아시는 것처럼 블로그, 유튜브, 인스타그램이 있어요. 채널을 운영하기 위해서는 가장 중요한 것은 소통과 꾸준함, 일관성입니다.
먼저 다가가서 소통도 청하고, 주인공의 이야기도 더 자세히 들어봐야 해요. 처음부터 광고나 홍보 등을 하면 거부감부터 들잖아요. 그러니 진정한 의미의 소통을 하셔야 합니다. 채널을 운영하다 보면 무료 강의나 전자책 등 나눔의 기회가 많아요. 그런 기회를 잘 활용하시고, 나눔을 하시는 분들은 더 많은 고민과 노력을 하시는 분들이니 감사를 표하며 더 자주 소통하면 좋겠죠?

영주　갑자기 말 걸면 이상한 사람이라고 생각하지 않아요?

오늘　생각보다 많은 사람이 진정성을 가지고 다가가면 좋아해 주세요. 그리고 만약 그렇지 않다고 해도 크게 맘 쓰지 않으셔도 돼요. 우리는 마음이 통하는 다른 사람과 소통하면 됩니다.

영주　그럴게요.

오늘　데이터를 꾸준히 분석하는 것도 중요해요. 블로그, 인스타그램, 유튜브 모두 분석할 수 있는 인사이트들을 제공해요. 꼭 데이터를 분석해서 계속 내 브랜드 채널을 성장시켜야 해요. 데이터를 분석할수록 개선해 나가야 하는 것들이 더 잘 보여요.

영주　그렇군요. 데이터 분석…. 저 좀 약한데

오늘　데이터를 자주 보는 것부터 시작하면 돼요. 그리고 중요한 포인트 하나 더, 과정을 계속 기록하는 일이예요. 제가 계속 강조했었죠? 브랜딩 과정 중에 있는 시행착오와 고민은 결국 그 시기만 느낄 수 있고, 그 시기만 세밀하게 기억할 수 있는 과정들이죠. 그러니 어떤 방식으로든 기록을 해 두기를 추천해 드려요. 그리고 이 기록들을 콘텐츠화하면 콘텐츠 고민도 해결되고 일거양득이겠죠?

영주   이전에 설명해 주신 것 같은데, 어떤 것들이 있었죠?

오늘   영주님이 육아맘을 위한 학습 방법 또는 교육을 콘텐츠
      로 한다면, 오늘 공부한 만큼만을 콘텐츠로 게시하는 것
      이죠. 책을 통하거나, 일상의 육아에서 느낀 점, 배운 점
      을 올리는 거죠. 렘군 <아웃풋법칙>에서는 말했어요.

      문제를 푸는 실력은 결코 하루아침에 만들
      어지지 않는다. 당신이 그 분야에서 백지상
      태라면 아웃풋 하면서 즉, 누군가를 도와주
      면서 실력을 만들어나가야 한다.

영주   아~ 완성되지 않아도 딱 오늘 배운 그것만큼 만이라도,
      누구 한 명을 도와주기 위해 공부한 것만큼만이라도, 기
      록하고 게시물로 올리라는 것이죠?

오늘   맞아요. 브랜딩 운영 과정들을 꼭 기록해야 한다는 것만
      꼭 기억해주세요. 브랜드 채널별로 중요한 부분들 정리
      했으니 참고하세요.

> ■ 브랜드 채널 운영에서 가장 중요한 5가지
>
> 1. 소통 : 먼저 다가가서 소통하기
> 2. 지속성 : 지속해서 게시물 발행하고, 활동하기
> 3. 일관성 : 나의 전력 분야 중심으로 활동하기
> 4. 데이터 분석 : 상시 데이터 분석하기
> 5. 과정의 아웃풋 : 배운 내용 기록, 콘텐츠로 활용하기

인스타그램

인스타그램의 가장 큰 특징은 두 가지입니다. 소통과 비주얼 중심이라는 것입니다.

채널 성장을 위해서는 무엇보다 소통이 중요합니다. 특히 초반에는 인스타그램에 내 발자국을 자주 남기는 것이 가장 중요합니다. 발자국을 남기는 방법은 댓글, DM 등의 소통도 있고, 게시물을 업로드하고, 스토리를 올리는 등의 내 콘텐츠를 사람들에게 자주 노출하는 것이죠.

대니얼 카너먼 <생각에 관한 생각>을 보면 반복해 듣거나 보는 것은 머리가 편안해지며 친숙하고 진실하게 느껴진다고 해요. 우리는 사람들에게 자주 내 브랜드를 노출시켜서 더 신뢰하고, 친숙하게 해야죠.

채널에서 내 게시물이 더 자주 노출되기 위해서는 내 팔로우들의 반응이 좋아야 해요. 내 팔로우들이 내 게시물을 보고 '조회수, 좋아요, 저장, 공유'를 많이 할수록 내 게시물은 채널에서 자주 노출되고, 더 많은 사람에게 노출되서, 다시 반응이 좋으면 또다시 노출이 반복됩니다.

그래서 진성 팔로우들이 중요하고, 팔로우 구매나 분야가 맞지 않는 팔로우는 하지 않아야 해요.

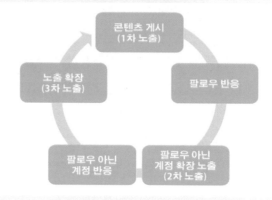

보통 초반 1,000명까지는 맞팔 작업을 합니다. 맞팔 신청을 할 때는 상대방의 게시물에 충분히 반응을 해 주고, 진정성 있게 DM을 통해 맞팔을 통한 소통을 제안해야 합니다. 내 게시물을 올리고 난 후에도 그냥 사라지지 말고, 꼭 팔로우들의 게시물을 방문해서 댓글 등을 남겨야 합니다. 댓글에 상대가 다시 답글을 남기면, 답글에 한 번 더 댓글을 남기면 대화가 이어지며 소통하는 재미를 느끼기도 좋고, 팔로우들과 좀 더 가까워진 느낌이 듭니다. 가끔 DM을 보내거나 스토리에 스티커를 보내는 등 적극적으로 소통하면, 상대에게 한 번 더 나를 각인시킬 수 있습니다.

내 팔로우들은 내 브랜드의 주인공이 되기도 하니, 소통을 통해서 필요한 도움이나, 공감대 형성 등을 하는 것은 내 브랜드 콘텐츠 기획에도 도움이 됩니다. 팔로우들의 게시물을 보며 분석도 해 보고, 영감도 얻을 수 있어요. 초반에는 소통 루틴을 잡기 위해 30분~1시간 정해두고, 정기적으로 활동 하는 것도 좋습니다. 소통하는 것은 채널 운영을 하는데 가장 중요한 작업입니다. 이를 배제하고는 성장할 수 없습니다.

인스타그램 소통 중 일시적으로 활동이 제한되는 경우가 있습니다. 이는 인스타그램 내에서 제한하는 기준을 넘겼을 때 발생 됩니다. 보통 팔로잉, 팔로잉 취소는 시간당 30개, 하루 720개까지 가능하고, 업로드는 하루 12개 이하, 해시태그는 30개 이하까지 가능한 것으로 알려졌습니다. 기준은 확인이 힘들고, 변동 가능하니 참고만 하시기 바랍니다.

인스타그램은 비주얼을 통해 사진, 카드뉴스, 영상 등 이미지화한 것들로 주인공들을 한눈에 사로잡을 수 있습니다. 감각적인 사진, 시선을 끄는 색채, 호기심을 이끄는 영상이 주목받을 수 있는 채널입니다. 최근에는 캡션이 조금 길어지는 추세이기는 하지만, 여전히 인스타그램에서는 비주얼 요소가 중심이 되고 있습니다.

또한 사진 이외에 브랜드 메시지를 짧은 글과 이미지로 전달하는 카드뉴스나 다양한 영상으로 전하는 릴스를 더 많이 활용합니다. 특히 릴스는 팔로우 외의 계정까지 내 게시물을 도달시키기 좋아서 최근 다양한 릴스 기술들이 전해지고 있습니다. 릴스 영상은 5~10초 분량을 추천합니다. 영상이 너무 길면 집중도 안 되고 영상 조회수가 많이 나오지 않습니다. 릴스 영상을 만들 때는 시선을 끄는 콘텐츠 제목 또는 영상을 시작으로, 반복 재생하도록 유도합니다.

게시물을 업로드 한 후에는 스토리에 한 번 더 공유해서 내 게시물을 홍보해 주는 것이 좋습니다. 나의 게시물과 주인공들에게 도움이 될 게시물들을 카테고리별로 묶어서 가이드로 정리해 두는 것도 좋습니다. 릴스는 게시물 준비 후 임시 저장했다가 팔로워들이 자주 활동하는 시간에 발행하는 것도 방법이며, 일반 게시물은 예약발행이 가능하니 원하는 시간으로 예약하면 됩니다. <브랜드 디자인 실습 참고>

캡션이 점점 길어지는 추세지만, 굳이 너무 길게 작성하지는 않아도 됩니다. 또한 짧은 시간과 공간 안에 메시지를 전달해야 하는 만큼 가독성이 가장 중요합니다. 가독성을 위해서는 띄어쓰기와 이모티콘이 적절히 사용되어야 하고, 양쪽 정렬보다는 왼쪽 정렬이 좀 더 깔끔해 보입니다. '인별 엔터'라는 앱은 두 칸 이상 띄어쓰기가 가능하므로 가독성에 유용합니다. 캡션에는 나만의 관점과 언어로 작성하는데 우리의 주인공에게 어떤 관계에서 말할 것인지를 염두에 두고 작성하면 됩니다. <워크시트 7 참고>

해시태그는 팔로워 수에 따라 초반에는 대형 해시태그(1만 이상)는 1~2개만 포함하고, 중형 해시태그(1만~5,000)와 소형 해시태그(5,000~500)를 다수 사용하기를 권장합니다. 해시태그 수는 10개 내외로 하고, 주제와 상관없는 해시태그는 달지 않는 것이 좋습니다.

* 인친 : 인스타 친구   * 캡션 : 게시물 설명
* 스토리 : 24시간 이내에만 확인 가능한 게시물
* 맞팔작업 : 먼저 팔로우(선팔)하고 상대에게 함께 팔로우(맞팔)하고
　　　　　　소통하기를 제안하는 것

■ 인스타그램 운영에 유용한 앱(사이트)

앱(사이트명)	주요 내용
인별엔터	띄어쓰기 앱
빅셜	데이터 분석, 댓글 추출, 관리 사이트
DO MOBILE	인스타그램 해킹 방지 앱
이모지키친	이모지 섞기, 나만의 이모지 만들기 앱
Grid post	피드에 맞춰 사진 분할 앱
In shot	업로드 할 사진 사이즈 맞추기 앱
PhotoRoom	사진 배경 제거 및 변경 앱
Capcut	영상편집 앱
VLLO	영상편집 앱
미리캔버스	카드뉴스 제작, 이미지, 영상 편집
Canva	카드뉴스 제작, 이미지, 영상 편집
망고보드	카드뉴스 제작, 이미지, 영상 편집
Pixabay	사진, 동영상 다운
Pexels	사진, 동영상 다운
TinyPNG	사진, 파일 변환, 용량 줄이기

인스타그램 인사이트 분석

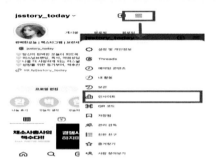

구분	분석 내용
도달계정	국가/지역/연령/성별 분석, 프로필 방문 조회
참여계정	팔로워/팔로워가 아닌 사람 분석, 좋아요/댓글/저장/공유 분석, 인기게시물 분석
팔로워 분석	팔로우/팔로우 취소 통계, 지역별/연령대/성별/활동시간 분석

■ 인스타그램 운영 주요 내용

1. 소통이 중요 : 댓글, 대댓글, DM 등 소통
2. 비주얼 중심 : 사진, 카드뉴스, 릴스 등 활용
3. 캡션 중요성이 커짐 : 분량보다는 가독성이 중요
4. 해시태그 : 관련 해시태그만 사용
   * 대형 1~2개, 중형과 소형 해시태그 중심

블로그

블로그의 포인트는 글과 검색 키워드 중심이며, 나의 전문성을 알리기 좋은 채널이라는 것입니다. 카테고리별로 정리한 나의 블로그 글들은 유튜브 운영을 위한 시나리오가 되기도 하고, 인스타그램 게시물의 초안이 되기도 합니다. 그래서 블로그 글은 다른 채널 콘텐츠 발행 또는 다른 수익화 준비의 시드가 될 수 있습니다.

블로그는 목적기반 검색을 통한 채널 유입의 비중이 큰만큼 키워드 선정이 중요합니다. 블로그에서 빠질 수 없는 단어가 바로 블로그 지수와 상위노출입니다.

블로그 지수는 블로그가 얼마나 전문성이 있고, 신뢰할만한 글을 발행하는지 평가한 지수입니다. 블로그 지수는 한 분야로 계속 질 높은 글을 발행하고, 조회수와 방문자 수, 평균 사용 시간, 발행 글의 반응 등을 조합해서 산정됩니다. 블로그 지수를 계속 점검해서 성장 체크 및 보완해 나갈 수 있습니다.

블로그는 게시글 상위노출이 중요합니다. 블로그 상위노출은 블로그 지수가 높고, 최신 글이며, 관련성이 높고, 글의 전문성 수준이 높을수록 확률이 높아집니다. 블로그 운영 초반에는 블로그 지수가 높지 않으므로 최신성과 관련성을 중심으로 공략해야 합니다. 또한 한 개 키워드는 상위노출 확률이 낮으니, 두 개의 키워드를 조합해서 검색했을 때에 우리 글이 보일 수 있도록 해야 합니다.

예) 노인과 바다 + 줄거리

블로그 글을 작성할 때는 다음 사항이 충족되어야 합니다.

1. 글자 수 1,500자 이상
2. 사진 및 동영상 15장 내외
   (사진 1027*768 / 직접 찍은 사진 권장
   / 다운받은 사진은 편집해서 사용하기)
3. 가독성 있는 왼쪽 정렬 추천
4. 중심 키워드는 본문에 5회 이상, 보조 키워드는
   3회 이상 언급 권장
5. 제목에 중심 키워드 넣기
6. 해시태그는 4가지 키워드, 키워드들을 조합하기

블로그는 검색되는 키워드를 찾아내고, 이에 맞춰서 글을 작성하는 것이 중요합니다.

인기 키워드 사이트를 검색해 보고, 구글이나 네이버의 연관 검색어를 참고할 수 있습니다. 연관 검색어는 주제와 관련해서 사람들이 많이 검색한 단어이므로 이를 글의 내용, 해시태그, 제목 등에 포함 시킬 수 있습니다.

키워드는 총 4가지로 분류될 수 있습니다.
블로그 글을 작성할 때에 이 4가지 키워드를 조합해서 글 내용과 제목, 해시태그 등에 활용할 수 있습니다.

키워드 분류	키워드 설명
검색 키워드	검색할 것 같은 키워드
주제 키워드	내 글의 주제 키워드
전략 키워드	연관 검색어에 자주 등장하는 키워드
인기 키워드	검색량 많은 키워드

블로그 글 작성 시 글쓰기 창의 오른쪽 상단 '글감'에 해당되는 책, 영화, 기사 등의 링크를 넣고, 작성하면 내 글의 노출 경로가 하나 더 생길 수 있습니다. 템플릿 서식을 탐색해서 글을 쓰면 좀 더 전문적인 느낌을 주는 글을 작성할 수 있습니다.

블로그 운영 초반에는 서이추(서로이웃추가) 신청 작업도 필요합니다. 이웃 새 글을 통해 검색하지 않아도 바로 이웃들이 나의 새 글을 볼 수 있습니다. 상위노출 되지 않아도 내 글을 읽게 하는 또 하나의 경로가 이웃 수를 확보하는 것입니다. 나와 관련된 글을 쓰는 사람들에게 먼저 서이추 신청을 할 수 있습니다. 상대의 글에 반응한 후에 서이추 신청을 합니다. 기본 멘트로 서이추를 신청하면 수락하지 않는 경우가 많습니다. 나는 어떤 글을 쓰고, 어떤 부분에 관심이 있어서 소통하고 싶은지 진정성 있는 메시지로 서이추 신청을 해야 합니다. 서이추 신청을 1일 100개로, 정원은 5,000명까지로 제한하고 있습니다. 5,000명이 넘으면 서이추는 신청할 수도 받을 수도 없습니다. 이웃 중 방문을 유도하기 위해 댓글을 자동화해서 무작위로 다는 경우가 있습니다. 내 게시글을 읽지 않고 댓글을 다는 경우는 평균 사용시간을 줄어들게 할 수 있습니다. 블로그는 조회수나 방문자 수 만큼 평균 사용시간도 중요합니다.

보통 게시글은 너무 자주 올리면 오히려 저품질이 될 수 있으므로 보통 4시간 이상 간격을 두고 발행하기를 추천합니다. '예약발행' 기능이 있으니, 원하는 시간에 원하는 만큼의 글을 미리 작성하고 순차적으로 발행하는 것도 좋은 방법입니다. 내 이웃이 가장 많이 활동하는 시간에 발행하는 것입니다.

네이버 블로그 운영관련해서 네이버 블로그 고객센터에 자주 묻는 질문과 도움말이 자세히 나와 있으니, 정확한 정보를 참고하는 것이 좋습니다.

■ 블로그 운영 주요 사이트

사이트명	주요 내용
블덱스	블로그 지수 확인 사이트
슈퍼멤버스	블로그 지수 확인 사이트
블로그차트	블로그 지수 확인 사이트
리드뷰	블로그 지수 확인 사이트
웨어이즈포스트	블로그 지수 확인 사이트
젤리랩	단어, 데이터분석
금칙어검사	금칙어 분석

※ 인스타그램 운영사이트 이미지 다운, 편집 등도 참고

블로그 인사이트 분석

소개

도서블로그 완벽한 오늘 | 퍼스널브랜딩 | 자기계발, 브랜딩 책 추
천 | 독서정보/독서모임 | 13년 상담사 | 상담하는 동네서점, 독
립출판사 준비 중 | https://litt.ly/jsstory_today

구분	분석 내용
방문분석	조회수, 순방문자수, 방문/평균방문횟수, 재방문율, 평균사용시간
사용자분석	유입/시간대 분석, 성별/연령별/기기별/국가별 분표, 이웃방문현황/증감수/증감분석
동영상분석	재생수/재생시간/시청자 분석
순위	조회수/공감수/댓글수/동영상 순위
기타	블로그 평균 데이터, 지표 다운로드 등

■ 블로그 운영 주요 내용

1. 전문성을 알리기 좋은 채널
2. 글 중심 : 글자수, 사진 등 포함해야 노출 유리
3. 검색 중심 채널 : 상위노출, 키워드 검색 필수
4. 블로그 지수 : 한 카테고리, 양질의 게시글 중요

유튜브

유튜브는 대중에게 인지도를 높이는데 탁월하지만, 그만큼 에너지가 필요합니다.

유튜브는 기획이 가장 중요한 채널이자, 오래 하는 사람이 살아남는 대표적인 채널로 유튜브 운영의 필수 요소는 성실성, 캐릭터 개발, 콘텐츠 차별화, 인내심입니다.

유튜브는 내 채널에 반응이 오기까지 시간이 필요하며, 영상 제작과 편집이 익숙하지 않은 분들에게는 문턱이 높게 느껴집니다.

하지만 김도윤 <유튜브 젊은 부자들> 속 유튜버 23명 중 절반 이상이 편집을 전혀 할 줄 모르는 상태에서 유튜브를 시작했으며, 영상편집을 제대로 알고 시작한 사람은 고작 5명이었습니다. 많은 사람이 휴대폰 앱을 통해 영상을 편집해서 게시하고 있습니다. 부담 없이 접근해서 오래 가는 것도 좋은 방법입니다. 그래도 점점 영상의 완성도는 높아지는 추세이니 채널을 운영하며 영상편집 실력을 쌓아나가는 것도 좋습니다. 쇼츠의 등장으로 더 짧고, 다양하게 시선을 끄는 영상들이 기획되고 있습니다.

많은 성공한 유튜버들이 유튜브를 시작 할 때 별도의 장비들을 구매하지 않아도 된다고 합니다. 초기에는 카메라는 휴대폰으로 충분합니다. 꼭 필요하다면 조명과 마이크인데, 마이크는 콘텐츠에 따라 다른 종류를 사용할 수 있습니다. 마이크는 크게 지향성(특수 소리만 잘 수음), 무지향성(배경 소리까지 담음)이 있습니다.

*핀마이크 : 보야 BY-M1DM 스마트폰 카메라용 듀얼마이크, 2만 7천원 가량
*무선마이크: 호루스벤누 무선 핀마이크 C타입 XL-WM2-c, 4~5만원대

조명은 다이소에서 가성비 제품을 사용하거나 2만원대의 링라이트 조명이 좋습니다.
(예: 조이트론 LD10 LED 링라이트)

유튜브는 제목과 썸네일이 중요합니다. 썸네일은 영상 클릭을 유도하도록 다소 자극적으로 제작할 수 있으나, 영상 제목에는 영상 설명을 솔직하고 간략하게 작성하는 것이 좋습니다.

유튜브의 경우는 타깃의 범위를 넓게 설정해서 클릭률을 높이기를 권장합니다.

유튜브의 동영상을 구성할 때는 영상 첫 부분에 해당 영상 중 가장 임팩트 있는 것을 짧게 넣고 영상을 시작할 수 있습니다. 영상 초반 5초가 중요하고 긴 영상은 중간에 영상을 계속 시청할 수 있도록 한 번씩 호기심을 유도하는 포인트를 제공해야 합니다.

다른 채널들도 마찬가지지만 유튜브는 특히 타깃에 따라 채널 활용 방법에 확연한 차이를 보이는 채널로 이를 잘 파악해서 반영하는 것이 중요합니다.

예를 들면, 어린이는 반복재생을 자주 해서 조회수가 잘 나오지만, 중년층은 반복재생을 잘 하지 않는 경우가 많습니다. 연령대별로 10대는 관심사가 다양하고 변화무쌍하며 댓글, 실시간 채팅 등 적극적으로 참여하는 콘텐츠를 선호합니다. 20대는 정보 수집을 목적으로 유튜브를 사용하며 전문성을 중시하는 경향이 있으며, 30대는 관심사가 좀 더 뾰족하고, 그래서 전문성에 더해 신뢰성이 중시됩니다. 40대 이상이 되면 유튜브를 정보 수집에 더해 여가수단으로

활용하는 경향이 있어서 안정감과 신뢰감을 주는 것이 중
요합니다.

영상편집 프로그램은 초반에는 무료 앱 또는 프로그램을
사용해도 무방합니다. 하지만 디테일하거나 전문적인 작업
이 필요할 때는 유료 프로그램을 사용하는데, 컴퓨터 사양
등이 맞는지 확인해 봐야 합니다. 유료 구매 후 컴퓨터 사
양이 맞지 않아 사용이 불가할 수도 있습니다.

■ 유튜브 운영 주요 사이트

프로그램명	주요 내용
파이널컷	영상편집프로그램
어도비프리미어	영상편집프로그램
소니 베가스	영상편집프로그램
VREW	영상편집프로그램
ANYVID	유튜브 동영상 다운
YouTube ChatGPT	유튜브 영상 요약
TRaw	유튜브 영상 요약
오캠	컴퓨터 화면 촬영용 프로그램
네오스피치	텍스트 읽어주는 사이트
오드캐스트	텍스트 읽어주는 사이트
유튜브 스튜디오	무료 음원 사용

유튜브 인사이트 분석

구분	분석 내용
개요	조회수, 시청시간, 구독자
콘텐츠	콘텐츠별 조회수/피드에 표시된 횟수/좋아요수 구독자수/내 콘텐츠 방문경로/트래픽 소스 지역/도시/연령/성별 등
시청자층	시청증가 유도영상, 시청자가 시청하는 채널/콘텐츠, 이용시간대
조사	내 시청자의 검색어 분석

■ 유튜브 운영 주요 내용

1. 영상 기획과 생동감이 중요함
2. 끈기 있게 지속하는 이가 승리하는 채널
3. 초기에는 장비보다는 채널 콘셉트와 기획에 초점

카드뉴스 제작, 이미지, 영상편집 앱(사이트) Canva 기본 사용법

① 해당 사이트 접속 → 템플릿

② 게시물 사이즈 선택

③ 무료 템플릿 선택

④ 템플릿을 통해 이미지 편집

오늘 전반적으로 설명해 드렸는데, 더 많은 SNS 활용기술들이 있어요. 그건 다른 책이나 방법으로 더 공부하셔야할 것입니다.

영주 아직 한~~참 멀었네요.

오늘 솔직히 말씀드리면 한~참 더 공부하셔야 하긴 해요.
미노와 고스케 <미치지 않고서야>에서 이런 문장이 있어요.

> 진화는 위기에 찾아온다. 압도적인 양을
> 소화하고 나서야 보이는 세계가 있다.

저는 이 말에 전적으로 동의해요.
지금 영주님께는 기회가 오는 것 같아요. 영주의 브랜딩을 성공시킬 기회죠.

영주 그죠. 저 성공하려고 이렇게 힘든 것 맞죠?

오늘 SNS 운영 방법들은 특히 더 조급하게 생각하지 마세요. 영주님은 영주님의 정체성을 찾았으니까요. 그것을 표현하는 방법은 천천히 개선해 나가시면 돼요. 무엇보다 본질이 중요하다고 생각해요.

영주 그럴게요. 천천히, 하나씩, 하나씩

(2) 영주님. 이제 수익화하셔야죠.

영주   오늘님. 이제 잘하지는 못하지만, 채널을 운영하는 것도 어느 정도 익숙해졌고, 팔로우도 많지는 않지만 조금 생긴 것 같아요. 근데 이제 뭘 해야 하는지 모르겠어요.

오늘   퍼스널브랜딩은 결국 '나'로 수익화를 창출하는 과정입니다. 수익화를 할 방법은 다양해요. 그중 나는 어떤 수익화 방법을 겨냥할 것인지에 따라 브랜딩 설계 방향성이 달라질 수 있죠. 게리 켈러 <원씽>에서 계획을 역순으로 하도록 해요. 3년 후에 어떤 모습을 원하는지 먼저 생각하고, 그것을 위해 2년 후에는 무엇을 해야 하고, 1년 후에는 무엇을 해야 할지 생각해 보는 것이죠. 그렇게 하면 현재 내가 무엇을 해야 하는지 좀 더 명확하게 볼 수 있죠. 수익화도 마찬가지예요. 내가 수익화하고 싶은 것을 생각해요. 그리고 그것을 위해 나의 브랜드 방향성을 잡고, 그것을 위한 콘텐츠들을 발행한다고 생각하시면 됩니다.

■ 수익화에서 생각해 봐야 할 점은 3가지

1. 어떤 상품 또는 서비스를
2. 누구에게 제공해서
3. 누구로부터 돈을 받을 것인지

예를 들어, 도서 홍보를 통해 수익을 창출하려면,

1. 책을 소개하는 서비스를
2. 책을 좋아하는 사람들에게 제공해서
3. 출판사에게 돈을 받는 것이죠.

오늘   이에 따라 내 콘텐츠의 방향성을 다르게 설계할 수 있어요. 팔로워 1만이지만 수익화를 못 한 사례도 있고, 팔로워가 1,000이지만 수익화에 성공한 사례도 있어요.
내가 원하는 수익화 방법을 정리해야 내가 해야 할 것들이 선명해집니다.

영주   아~ 어떤 서비스를 누구에게, 어떻게 제공해서 누구에게 돈을 받을지를 생각하는 것이군요.

오늘   맞아요. 우리의 주인공은 바뀌지 않았어요. 하지만 주인공에게 돈을 받을 수도 있고, 다른 이들에게 돈을 받을 수도 있죠. 수익화를 할 방법은 크게 11가지가 있어요. 대표적인 방법들과 전반적인 설명들을 정리해 놨으니 이를 참고해서 수익화를 계획 해 볼 수 있습니다.

이 중에 우리 영주님은 어떤 방법으로 수익을 낼 수 있을지 생각해 보세요.

영주 음…. 제가 계획만 하면 가능할까요?

오늘 가능하게 만들어야죠. 목표한 수익화 방법으로 말씀드린 것처럼 콘텐츠 방향성을 잡고, 다양한 방법으로 가능하게 만들어내야죠.

영주 알겠어요. 좀 어려울 것 같긴 한데 한번 해 볼게요.

오늘 방법이 많고, 한꺼번에 다 할 수는 없어요.
각 방법들을 보고, 순차적으로 할 수 있는 것들을 고려해 보는 거죠.
구체적인 수익화 경로와 추진 방법들은 추후에 수익화 방법에 따라 추가로 책을 읽거나 강의 등을 통해 정보를 수집할 필요가 있어요.

영주 네. 오늘은 '이런 것들이 있다.' 정도만 알고, 제가 가능한 방법을 검토하는 거죠?

오늘 맞아요. 생각해 보시고, <워크시트 12>에 할 수 있는 만큼만 작성해 보세요. 추가 정보를 수집하면서 수익화 방법도 마찬가지로 수정해 나가면 됩니다. 너무 많다고 머리 아파하지 않으셔도 돼요. 이 중에 우리는 순차적으로 몇 가지만 해나갈 것이니까요.

영주 네. 그럴게요.

브랜드 수익화 방법

■ 주요 수익화 방법

연번	구분	방법	예시
1	광고	브랜드 채널을 통해 광고 수익 창출	애드 포스트, 릴스 보너스, 유튜브 수익
2	투자	브랜드 신뢰와 전문성 기반 제안을 통해 사업 아이디어나 제품 투자받기	비즈니스 제안
3	컨설팅	전문성을 바탕으로 컨설팅하기	크몽
4	기사 공유	기사, 후기 등을 자신이 작성, 작성된 자료 공유	체험단
5	직접 판매	브랜드 채널을 통해 제품, 서비스 직접 판매	스마트 스토어
6	공동 구매	다수의 구매자와 함께 물품을 대량 구매	공구사이트, 네이버 밴드 폐쇄몰
7	제휴 마케팅	다른 회사 제품, 서비스 홍보 후 수익 창출	쿠팡 파트너스, 링크프라이스
8	강의	전문 지식을 바탕으로 온/오프라인 강의	클래스 101
9	책출판	자신의 지식이나 경험을 책으로 출판	전자책, 종이책
10	모임 행사	특정 분야 인원 모집 후 모임이나 행사 운영	독서 모임
11	투자	자본 투자	주식, 부동산

가장 대중적으로 시도하는 것이 각 브랜드 채널에서 주는 광고비입니다. 네이버 블로그의 애드포스트, 유튜브 수익, 릴스 보너스 등이 있습니다.

네이버 블로그 애드포스트는 블로그 게시글 중간에 있는 광고 링크를 클릭하는 것에 따라 광고비를 받는 것인데, 비교적 쉽게 신청하고 광고 설정을 할 수 있지만, 수익이 크지 않습니다. 보통 한 달에 치킨 한마리 살 정도 된다고 생각하시면 됩니다.

인스타그램과 유튜브 수익은 블로그에 비해 수익 규모는 크지만, 자격요건을 갖춰야 합니다. 인스타그램 릴스 보너스의 경우 한 달 기준 재생수 10만회 이상, 비즈니스나 크리에이터 계정, 가이드 라인 준수, 한 달 기준 5개 이상 릴스 업로드 등 자격요건이 필요합니다. 자격요건 충족 후 한 달 내에 $25의 최소기준에 도달해야 하며, 최대 $10,000까지 받을 수 있습니다.

유튜브 또한 구독자 500명 이상이고, 동영상 시청시간 3,000시간 이상이거나 쇼츠 조회수 300만 이상이 충족되어야 합니다. 그리고 여기에 구독자 1,000명 이상 동영상 시청시간 4,000시간 또는 쇼츠 조회수 1,000만 이상의 옵션을 더하면 더 많은 수익도 창출할 수 있습니다. 유튜브와 릴스는 일정기간 활동이 없으면 수익화 할 수 있는 권한이 사라지므로 꾸준히 콘텐츠를 업로드 해야 합니다.

티스토리, 워드프레스 등을 통한 구글 애드센스 또한 네이버 블로그에 비해 광고수익이 높아서 주목되고 있습니다. 하지만 애드센스 승인이 애드고시라고 불릴 만큼 어렵고, 직접 홈페이지를 개설하고, 운영해야 하는 만큼 진입장벽이 높게 평가됩니다.

브랜드 채널 광고비는 별도의 수익화 활동없이, 채널 운영만으로 비교적 안정적으로 수익을 창출할 수 있는 방법입니다. 채널별 수익화 기준 등은 변동 가능하므로, 필요한 시점에 확인이 필요합니다.

기사 또는 후기 공유를 통한 수익 창출은 블로그를 통해 많이 이루어집니다. 특히 체험단은 참여 문턱이 낮고, 넓어서 협찬 등을 비교적 수월하게 받을 수 있습니다.

체험단은 사이트들을 통해 참여 할 수 있는데, 블로그를 등록하고, 신청 버튼만 누르면 신청이 끝납니다. 정해진 기한 내에 직접 체험 또는 정보 수집을 통해 체험단 후기 작성 가이드에 따라 글을 작성하면 됩니다.

'체험단 후기 작성 가이드'는 내 블로그 노출을 높이는 꿀팁들이 될 수도 있으니, 블로그 채널을 키우는 것에도 도움이 됩니다.

■ 체험단 사이트

연번	사이트명	연번	사이트명
1	리뷰플레이스	11	핫블
2	디너의 여왕	12	원블
3	링블	13	시원뷰
4	레뷰	14	뷰티의여왕
5	슈퍼멤버스	15	리뷰윙
6	투잡커넥	16	7POP
7	택배의 여왕	17	구구다스
8	티블	18	네이버윈도우체험단
9	체험단 닷컴	19	놀러와체험단
10	픽미	20	다뉴체험단

제휴 마케팅은 쿠팡파트너스가 가장 대중적으로 많이 활용됩니다. 쿠팡파트너스 가입 후 홍보할 상품을 선택하고, 링크를 발급 받은 후 나의 브랜드 채널에 게시하고 홍보하는 방식으로 진행됩니다. 이후 링크를 통해 구매가 발생되면, 판매 수익의 일부를 받게 됩니다. 블로그는 제휴 마케팅을 자주 할 경우 저품질이 될 확률이 높아질 수 있음을 우려하며 지양하는 추세이며, 유튜브는 현재는 제휴마케팅의 영향을 받지 않는 것으로 보입니다.

■ 제휴마케팅 플랫폼

연번	플랫폼명	주요 특징
1	쿠팡 파트너스	압도적 트래픽과 인지도를 가진 플랫폼, 가입이 쉽고, 다양한 광고 가능
2	링크 프라이스	쿠팡파트너스 다음으로 주목받는 플랫폼, 다양한 카테고리 제공
3	애드픽	초보자가 가능한 난이도로 다양한 수수료 가능
4	리더스 CPA	금융, 법률, 부동산, 다이어트 등 고단가 광고 가능
5	텐핑	국내 스타트업이 운영하는 제휴 플랫폼, 배너 광고 등 인지도 높은 편임, 온라인 강의 등 콘텐츠 제공

컨설팅, 강의는 온/오프라인으로 서비스가 가능해지며, 시장 규모가 점점 더 다양화되고 광범위해지고 있습니다.

전문가만 가능할 것으로 생각되지만, 누구나 접근 가능합니다. 예를 들면, 중급자가 초보자를 도와주고, 초보자가 입문자를 도와줄 수 있습니다. 입문단계에서는 고수에게 배우는 것보다 입문자의 애로사항을 기억하고, 촘촘히 설명해줄 초보자에게 배우는 것이 도움이 될 수 있습니다. 또한 월 1,000만원을 버는 방법을 궁금해하는 사람도 있지만, 월급 외에 월 100만원 벌 방법을 궁금해하는 사람도 있습니다. 브랜드 주인공에 따라 전문가가 아니어도 언제든 컨설팅, 강의 등을 할 수 있습니다.

강의 및 컨설팅은 숨고, 크몽 등 다양한 지식공유 플랫폼을 통해 진행 가능합니다.

■ 지식공유 플랫폼

연번	플랫폼명	주요 특징
1	크몽	- 가장 큰 규모 - 레슨, PDF전자책, 템플릿 같은 디자인 문서 판매 가능 - 오프라인 강의, 온라인 영상 및 전화 상담도 거래 가능 - 포화상태로 경쟁이 치열하고, 진입이 까다로움 - 체험단 모집하는 콘셉트도 가능
2	프립	- 액티비티 플랫폼 - 오프라인 강의, PDF 전자책, 전화상담 가능, 원데이 클래스가 많음 - 결제 시스템이 편리 - 자기계발 욕구가 강한 20대 후반~30대 초반 여성이 많음 - 가죽공예, 헬스, 스케이트보드, 댄스 등 활동성있는 주제에 추천
3	탈잉	- 업무 스킬, 실무 역량 향상을 필요로 하는 수요자가 많음 - 오프라인 강의, 온라인 강의, PDF 전자책, 컨설팅, 전화 상담 등

4	숨고	- 모든 강의를 볼 수 있는 광장형 플랫폼 - 수강생이 원하는 강의 설정하면, 맞춤 강사 보여줌 - 1:1 레슨 수요자 중심
5	솜씨당	- 요리, 수공예, 미술, 플라워 레슨 등 취미 분야 강좌 판매 - 오프라인 원데이 클래스 활성화
6	클래스 101	- 온라인 강의 구매 - 수강료에 재료비가 포함되어 10~30만원대 강의 단가가 높음 - 20대 후반~30대 초반 여성이 주 고객 - 아무나 강의할 수 없음(진입장벽이 있음) *강의 지원 후 플랫폼에서 실시한 수요조사에 통과해야 함
7	인프런	- 프로그래밍, 마케팅 등 IT분야 지식콘텐츠 중심 온라인 강의 플랫폼 - 개발 직군에서 인지도가 높음 - 무료 강의도 있음
8	애듀 캐스트	- 온라인 강의 플랫폼 - 대학강의, 재테크, 프로그래밍, 마케팅 등 다양한 분야의 지식 콘텐츠
9	스터디 파이	- 온라인 스터디 플랫폼 - 스토디 코치가 특정 주제, 기간, 인원으로 구성원 모집

책 출판은 종이책, 전자책으로 가능하며, 책 전체 수요인 구는 감소하지만, 전자책 수요는 계속 증가 중입니다.

전자책은 자는 동안에도 돈이 쌓이는 구조인 만큼 많은 이들이 활용하는 방법입니다. 전자책은 ISBN(국제표준도서번호)을 발급받지 않고 크몽 등의 지식공유플랫폼을 통해 판매 할 수 있습니다. 이럴 경우 비교적 높은 가격을 책정해 판매할 수 있지만 정식도서로는 인정받지 못합니다. ISBN을 정식으로 발급받고 전자책 또는 종이책으로 출판하면 책의 단가는 낮아질 수 있지만, 전문성과 신뢰를 인정받을 수 있습니다.

출판 방식은 기획출판, 독립출판, 자비출판, 펀딩출판이 있습니다.

■ 책 출판 방식

구분	주요특징	장점	단점
기획 출판	- 출판사에 원고, 기획서투고를 통한 출판 - 출판사 편집자들이 함께 원고를 수정, 디자인 등 마케팅부터 유통까지 전문 지원	디테일과 퀄리티가 좋음	진입 장벽이 높음
독립 출판	- 기획출판과 자비출판 중간형태, 저자와 출판사가 협력 책 출판	출판비용 절감, 피드백가능	출판비용 저자부담
자비 출판	- 부크크 플랫폼 활용 - 책을 미리 인쇄해 두지 않고, 주문이 들어오면 책을 제작해서 배송	재고가 없어서 부담적음	배송느림, 퀄리티가 저하될 수 있음
펀딩 출판	- 사람들로부터 후원금을 받아 책 출판 - 펀딩 플랫폼에 프로젝트 등록 후 책에 관심이 있는 사람들이 후원	원하는 퀄리티책 출판가능, 초기비용 없음	후원금을 모으기 어려움

■ 전자책 플랫폼

연번	플랫폼명	주요사항
1	크몽	- 수수료가 낮고, 수익성이 좋음 - 저작권 보호가 어렵고, 복제가 쉬우며 전문성이 떨어짐 - ISBN 도서번호 등록하지 않아도 됨 - 수수료 3~15%
2	유페이퍼	- 이 곳에 책을 등록하면 국내도서 플랫폼에 연결 *교보문고, 예스24, 알라딘, 밀리의 서재 등 - 표지, 내지 등 모든 파일을 저자가 준비해야 함 - 60% 작가, 40% 유페이퍼 수익
3	이페이지	- 제작도 지원함 - 한글 또는 pdf 완성 후 전달하면 Epub라는 문서로 제작 - 표지 및 내지 디자인은 직접 해야 함

4	프드프	- pdf 파일 다운 형식이 아닌, 홈페이지 내의 뷰어로 읽을 수 있음 - 인기/프리미엄 전자책 - 수수료 10만원 이하 0%, 그 이상 10%
5	클래스 101	- 온라인 클래스 중심 플랫폼 - 전자책으로 들어가야 보여 진입장벽이 높음 - 수수료 20%
6	와디즈 (펀딩)	- 테크, 가전 / 패션 잡화 / 뷰티 / 홈, 리빙 - 30~40대 남성 중심, 수수료 12%
7	텀블벅 (펀딩)	- 디자인 / 예술 / 출판 / 게임 - 10~20대 여성 중심, 수수료 8% (플랫폼 이용 5% + 결제 3%)

※ 카테고리, 수수료 등은 변동 가능함

이 외에도 네이버 스마트 스토어, 쿠팡 마켓 플레이스를 통해 직접 판매하거나, 공구 사이트 등을 통해 공구를 진행 하는 방식으로 수익을 창출할 수 있습니다.

특히, 요즘 주목받는 것은 라이브 쇼핑입니다. 방송사 입장에서 소비자에게 일방적으로 홍보하고 판매하는 홈쇼핑과 다르게 소비자와 소통하며, 평범한 사람들도 방송을 통해 상품을 적극적으로 홍보하고 판매하고 있습니다.

■ 라이브 쇼핑 플랫폼

플랫폼명	주요 특징
네이버 쇼핑라이브	가장 대중적으로 사용중인 라이브 쇼핑 플랫폼, 편리한 화면 구성 주제별 목록이 다양하게 세부화
카카오 쇼핑라이브	카카오톡 기반 실시간 소통 톡딜라이브(실시간 공동구매 서비스)
그립 (GRIP)	국내 최초 2030 라이브 커머스 플랫폼 입점한 판매자 직접 판매 방송 또는 상품 노출만도 가능

커뮤니티 구성하기

영주   수익화하는 방법이 정말 다양하네요.

오늘   맞아요. 그리고 수익화를 위한 두 가지 팁 알려드릴게요. 첫 번째는 커뮤니티를 구성하는 것입니다.

카카오톡 단톡방이나 네이버 카페, 이메일, 연락처 등을 통해 지속해서 나의 상품을 홍보할 수 있는 커뮤니티를 구성할 수 있어요. 단, 커뮤니티는 단순 홍보만을 해서는 안 됩니다. 꾸준히 정보 또는 메시지를 전달하고, 추가 서비스 상품을 안내해야 해요. 브랜드 채널을 운영하다 보면, 카카오톡 단체채팅방 링크와 함께 초대하는 댓글이 자주 와요. 특히 블로그가 많이 오는 것 같아요. 이렇게 커뮤니티를 구성하는 거예요. 서로 동기부여도 얻고, 정보도 교환하고, 채널 홍보도 하는 커뮤니티가 되는 거죠.

영주   저도 그런 채팅방을 참여하면 좋을 것 같은데요?

오늘   그런데 채팅방이 너무 많으면 혼란스럽기도 해요.

그래서 저는 제가 신뢰할 수 있는 사람이 운영하는 목적이 명확한 몇 개의 채팅방에 참여하고 있어요. 다른 사람들도 그럴 것 같아요. 그래서 내가 직접 채팅방을 운영할 것이라면, 내가 그들에게 무엇을 지속해서 줄 수 있고, 어떤 목적으로 채팅방을 운영시킬 것인지 정하고 시작하는 것이 좋죠.

영주 그렇네요. 네이버 카페는 저도 맘카페 활동을 많이 해 봐
　　　서 알 것 같은데 이메일도 많이 보내나요?

오늘 네. 지속해서 메일로 정보를 제공하는 뉴스레터도 온라인
　　　마케팅의 좋은 도구로 활용되고 있어요. 아래 사이트를
　　　들어가면 뉴스레터를 직접 발행할 수도 있어요.

뉴스 레터명	주요 기능
스티비	- 다양한 기본 템플릿 제공, 구독자마다 맞춤 메일 발송 가능 - 월 2회, 구독자 수 최대 500명까지 무료 이용 - 이미지, 아이콘 등 뉴스레터 쉽게 제작 가능
메일 침프	- 기본 템플릿 제공, 고객들이 가장 많이 클릭한 지점 확인 가능 - 구독자 그룹핑 후 메일 지정가능 - 최대 2,000개 연락처, 매월 10,000개 메일 발송가능(일일 한도 2,000개)
메일리	- 블로그와 같은 형태가짐 - 댓글과 검색 엔진 노출 가능 - 구독 서비스를 통한 수익창출 가능 - 개인 100% 무료 제공

영주 뉴스레터가 정확히 이해가 안 돼요.

오늘 예전에는 신문을 통해서 우리가 정기적으로 정보를 수집
해 왔죠. 그런데 이제는 온라인에 정보가 넘쳐나서 신문
을 구독하지 않게 되었죠. 하지만 정보가 넘치는 만큼 원
하는 분야의 질 높은 정보를 선별하는 것이 어렵고, 그만
큼 중요해졌어요. 그래서 사람들은 온라인으로 검증된 정
보를 신문형태로 받아보게 된 거죠. 필요한 분야의 정보
들을 정기적으로 받아보며 최신 트렌드도 이해하고, 몰랐
던 정보도 습득할 수 있어요.

뉴스레터는 무료로 받아볼 수도 있고, 기업 또는 개인이
양질의 정보를 정기적으로 제공하며 유료로 전환하기도
해요. 그럼 사람들은 돈을 주고서라도 뉴스레터를 받아보
죠. 이 방법도 수익화 방법의 한 종류가 될 수도 있어요.

영주 그렇네요. 저도 관심 분야 뉴스레터를 좀 구독할까 봐요.

오늘 저도 무료 뉴스레터를 몇 개 구독하고 있는데, 메일로 일
일이 들어가서 확인하지 않고, 카카오톡 채팅 확인한 듯
쉽게 뉴스레터를 볼 수 있어요.

카카오톡 메일을 신청하고, 뉴스레터 구독을 신청할 때에
카카오톡 메일로 입력해요. 그리고 해당 뉴스레터를 받은
후, 즐겨찾기 해 놓으면 놓치지 않고 쉽게 뉴스레터를 확
인할 수 있어요. 제가 구독 중인 뉴스레터를 몇 개 추천
해 드릴게요.

뉴스레터명	주요 사항
업클 (upcle)	- 정치, 사회, 국제, 문화, 경제 다섯 가지 분야에서 가장 중요한 이슈를 골라 짧고 알차게 브리핑 - 매일 저녁 6시에 발행하는 '석간' 뉴스레터 - 해석이 더 필요한 뉴스의 경우 'Q&A' 활용 가능
뉴닉 (NEW NEEK)	- 바쁜 현대인을 위한 진짜 뉴스레터 - 평일 오전 5시~6시 - '오늘의 1분 뉴스'나 '뉴닉 퀴즈' 등 간략한 분량 속에 다양한 콘텐츠들이 제공
어피티 (UPPITY)	- 돈에 관한 모든 정보 - 매주 월~금 아침 6시 - 머니레터, 재테크 시작방법, 경제뉴스, 재테크 팁, 칼럼 등 다양한 직업 연봉 정보를 제공
콘텐타	- 앞서가는 마케터를 위한 브랜드 콘텐츠 뉴스 - 마케팅 관련 다양한 이야기 - 매주 목요일 4시 발행
캐릿	- 마케팅, 트렌드 제공 뉴스레터 - 이주의 일 잘한 브랜드, 매주 화요일 출근 전 발행 - 대학내일에서 운영하는 뉴스레터, MZ세대 가치관 및 트랜드, MZ세대 근황, 이주의 유행템, 요즘 뜨는 밈
밑미 (Meet me)	- 마음 근육을 키우는 프로그램을 제공하는 플랫폼 - 매주 월요일 발행 - 나의 행복, 나의 고민, 나의 성장을 위해 전문 카운슬러로 자신의 마음을 돌볼 수 있는 전문가의 글 - 답장을 통해 심리 전문가에게 고민 상담도 신청가능

먼저 제안하기

오늘　이어서 수익화하는 두 번째 팁은 제안서나 홍보 자료를
　　　미리 제작해 놓는 것이죠.

영주　제안서요?
　　　그건 비즈니스까지 갈 때만 필요한 것 아닌가요?

오늘　네. 필요에 따라서 기업 또는 개인에게 먼저 제안할 경우
　　　를 대비하는 것이죠.
　　　언제 어떤 기회가 올지 몰라요. 그래서 먼저 홍보 자료나
　　　자신의 브랜드에서 제공하는 서비스 또는 상품을 소개하
　　　는 자료를 미리 만들어놓는 것이죠.
　　　복주환 <생각정리기획력>에서는 저자가 생각 정리를 위
　　　해 알마인드를 활용하고, 더 잘 활용하는 방법을 연구했
　　　어요. 그리고 직접 회사로 연락해서 연구한 내용을 알려
　　　주며 협업했고, 다양한 강의와 함께 자신의 콘텐츠를 확
　　　장해 나갔어요. 현재는 생각 정리 시리즈로 많은 사람에
　　　게 생각 정리 비결과 함께 영감을 주고 있죠.

영주　너무 어려울 것 같은데요?

오늘　그래서 미리 나에게 맞는 수익화 방법을 계획해 봐야 해
　　　요. 내성적인 건물주 <저는 이 독서법으로 연봉 3억이

되었습니다>를 보면, 연봉 3억을 만든 독서법의 핵심은 책 속 내용을 적용하는 것이었어요. 아무리 많은 책을 읽고, 공부해도 적용하지 않으면 아무 필요 없어요. 내 삶에 적용 해 봐야 해요. 그래야 이 방법이 나에게 맞는지 맞지 않는지 알 수 있죠.

우리 영주 씨도 그런 의미에서 나에게 맞는 수익화 방법을 구상하고, 그것에 맞게 자료들을 준비하는 것이죠.

영주　적용이 중요하군요. 그래도 홍보 자료는 한 번도 안 만들어 봤는데요.

오늘　가장 먼저 우리가 초반에 브랜드 콘셉트 잡았을 때 브랜드 스토리 작성했던 것 기억나요? <워크시트 10>이요. 그 자료를 시각화로 만든다고 생각하시면 돼요. 홍보 자료를 만들려면 앞서 말씀드렸던 캔바나 미리 캔버스를 들어가서 만드시면 돼요. 어렵지 않아요. 이런 게 있다. 정도만 생각해 두셨다가 나중에 필요하실 때에 다른 전문 서적들 참고해서 만드시면 될 것 같아요. 저는 이런 게 있다. 정도만 말씀드릴게요.

영주　네. 이전에 알려주신 '캔바' 사이트로 들어가서 한 번 따라 만들어 볼게요.

오늘　좋아요. 그리고 제안서는 보통 다음 순서로 구성됩니다.

■ 제안서 구성

1. 추진 배경 : 문제 시 되고 필요한 배경 상황 설명
2. 추진 전략 : 주요 전략 프로세스
3. 실행 계획 : 구체적인 실행 계획(소요 예산 포함)
4. 기대 효과 : 실행 후 기대되는 효과
5. 결론 : 전하고 싶은 마지막 메시지

※ MECE : 누락, 중복 피하기
※ 그래서? 왜 그렇지? 라는 질문에 답이 되어야 함

오늘 이것도 마찬가지로 그냥 이런 것이 있다고 생각하시고, 나중에 필요하실 때 전문 서적 참고하시면 좋아요.

영주 책을 읽어야 하는군요? 책 안 읽은 지 꽤 된 것 같은 데….

오늘 유튜브나 블로그 등에도 잘 나와 있어요. 근데 책이 좀 더 체계적으로 설명되어 있어서 따라 하기 좋아요. 이제 여기까지 내용을 참고해서 <워크시트 12>를 작성하면 됩니다. 한 가지만 생각나면 한 가지만 작성하시고, 좀 더 도전 가능할 것 같으면 더 작성하시면 좋아요. 세부 수익화 방법에는 제안이나 네트워크 구성 계획을 포함한 세부 계획이 들어가 있으면 좋겠죠.

< 워크시트 12 > 나의 수익화 계획하기

1. 수익화 계획하기

수익화 분야	수익화 구분	목표 기간	세부 수익화 방법

*수익화 구분 : 강의, 광고, 컨설팅, 책출판, 모임 등 행사운영,
제휴마케팅, 공동구매, 직접판매, 투자, 기사공유, 기타 중 선택

2. 수익화를 위해 내가 해야 할 일 정리하기

*준비해야 할 자료, 활동 등 포함

1. 수익화 계획하기

나의 수익화 분야	수익화 구분	목표 기간	세부 수익화 방법
퍼스널브랜딩	컨설팅	1년 이내	퍼스널브랜딩 컨설팅 프로세스 구축 후 크몽 등 지식공유 플랫폼 활용 컨설팅 진행
글쓰기, 독서법, 퍼스널브랜딩	강의	1년 이내	온/오프라인 나눔 강의를 시작으로, 강의 영역 확장 (자체 모집, 관련 기관 홍보자료 발송)
퍼스널브랜딩, 독서모임	책출판 (종이책)	6개월 이내	퍼스널브랜딩 입문자 대상 책 출간, 독서모임 후기를 모아 책 출간
퍼스널브랜딩	책출판 (전자책)	6개월 이내	퍼스널 브랜딩 정보 중심 지식공유 플랫폼을 통한 전자책
책 판매	직접 판매	6개월 이내	온/오프라인 책판매, 지자체 등 행사참여 등

* 수익화 구분 : 강의, 광고, 컨설팅, 책출판, 모임 등 행사운영, 제휴마케팅, 공동구매, 직접판매, 투자, 기사공유, 기타 중 선택

2. 수익화를 위해 내가 해야 할 일 정리하기

퍼스널 브랜딩 과정 기록 및 자료화 작업(블로그 등에 글 게시)
퍼스널 브랜딩 성공사례 및 관련 정보 수집(노션을 통해 자료 정리, 주 1회 자료 점검)
독서 모임 운영 후기 기록(주 1회, 월 1회 독서 모임 운영, 다른 독서 모임 참여 해 보기)
글쓰기, 독서법 등 공부하고, 관련 내용 정리, 기록(주제독서 10권씩 실시 후 내용 정리)
홍보자료 만들기(제안서 및 홍보 카드 뉴스 제작, 이메일 템플릿 만들기)
브랜드 채널을 통해 질좋은 정보 제공 및 나눔을 통해 신뢰 쌓기(퍼스널 브랜딩 자료 나눔 등)

*준비해야 할 자료, 활동 등 포함

오늘 오늘 어떠셨어요? 수익화 계획까지 세워봤는데?

영주 역시 어렵지만 그래도 여기까지 온 제가 대견스럽네요. 처음에는 아무것도 없었는데 수익화라니….

오늘 고생하셨어요. 이제 최종적으로 브랜딩을 정리하면 영주 님의 퍼스널브랜딩 설계는 마무리돼요. 그리고 이젠 설 계한 대로 한 단계씩 실행해 나가야죠.

영주 맞네요. 끝난 게 아니네요. 오늘도 책 속 문장?

오늘 아니요. 오늘은 시요. 류시화 <지금 알고 있는 걸 그때 도 알았더라면>에 이런 시가 있어요.

> 모든 것에는 다 때가 있다.
> 하늘 아래서 일어나는
> 모든 일에는 다 정해진 때가 있다.
> 날 때가 있고 죽을 때가 있으며
> 심을 때가 있고 심은 것을 뽑을 때가 있다.
> 죽일 때가 있고 살릴 때가 있으며
> 부술 때가 있고 세울 때가 있으며
> 울 때가 있고 웃을 때가 있다.
> 슬퍼할 때가 있고 춤출 때가 있다.
> 돌을 던져 버릴 때가 있고 돌을 모을 때가 있으며
> 껴안을 때가 있고 껴안는 것을 멀리할 때가 있다.
> 얻을 때가 있고 잃을 때가 있으며
> 지킬 때가 있고 버릴 때가 있다.

침묵할 때가 있고 말할 때가 있으며
사랑할 때가 있고 미워할 때가 있으며
싸울 때가 있고 화해할 때가 있다.
- 구약성서 전도서

우리 영주님이 나아갈 때는 지금이고, 우리 영주님이 더 빛나게 되는 것도 반드시 그때가 있을 것입니다. 너무 조급해 마시고, 지금은 나를 다지고, 세상에 발자국을 내는 횟수를 늘려나갈 때라고 생각하시면 좋을 것 같아요.

영주 그럴게요. 차 안 주세요?

오늘 오늘은 영주님이 차를 추천해주시겠어요?

영주 근데 여긴 커피머신기는 없네요? 아메리카노 생각이 좀 나긴 하는데….

오늘 커피 머신기는 소리가 너무 커서요. 책방이기도 하고, 상담하는 곳이라…. 핸드드립 커피는 가능해요. 그럼 오늘은 핸드드립 커피 맛있게 만들어드릴게요.

■ **수익화 계획 5단계**

1. **수익화 경로 파악하기**
2. **수익화 정보 수집하기**
3. **커뮤니티 구성하기**
4. **먼저 제안하기**
5. **수익화 계획하기**

(3) 영주's 브랜드, 이제 성공할 수밖에 없어요.

영주   이제 마지막 단계인가요? 어느새 여기까지 오니 뭔가 실감도 안 나고, 신기하기도 하고, 그래요. 생각해 보면 저 여기까지 따라오면서 참 많이 성장한 것 같아요.

오늘   영주님은 참 대단하셨어요. 매회기 지나치지 않고, 최선을 다해서 워크시트도 작성하시고, 어쩌면 이게 퍼스널 브랜딩 성공 여부를 알 수 있는 사전 테스트 같은 것이라고 여겨지기도 해요.

영주   퍼스널브랜딩 성공 여부를 알 수 있는 사전 테스트요?

오늘   네. 어떤 이는 그냥 지나쳐버리기도 하고, 어떤 이는 작성하다 말기도 하죠. 하지만 말씀드린 것처럼 한 권의 책을 읽어도 그것을 적용하고, 적용하지 않는 것은 차이가 커요. 맘을 먹었을 때 실행 하는 것이 중요하죠. 상담 초기에 말씀드린 적 있죠? 자청 <역행자>를 보면 비슷한 테스트를 했다고요. 당장 블로그에 아무 글이나 하나 올리라고 했던 것이요. 그런데 그 책을 읽고 모든 사람이 글을 올렸을까요?

영주   글쎄요. 그렇지는 않았을 것 같은데요.

오늘   맞아요. 많은 사람이 실행하지 않았어요. 물론 저마다의 상황과 환경이 여의치 않았을 수 있어요. 하지만 제 생각에는 그럼에도 블로그에 글을 올린 사람은 정말 성공할 확률이 높다고 생각해요. 그건 간절함의 차이에서 오는 걸 수도 있어요. 좀 더 간절한 사람은 성공할 확률이 더 높아지죠.

영주 　저는 정말 간절해요. 그래서 지금까지 올 수 있었던 것 같아요.

오늘 　맞아요. 그래서 영주님 삶은 앞으로 정말 많이 바뀔 거예요. 영주님이 생각지도 못한 귀한 인연과 기회들을 만날 것이고, 영주님이 생각지도 못한 좋은 경험도 할 수 있을 것입니다. 영주님은 지금까지 그랬듯 잘해 내실 것입니다.

영주 　감사해요.

오늘 　그럼 오늘 마지막으로 해야 할 것들을 좀 해 볼까요?

영주 　네. 즐겁게 해 볼게요.

오늘 　이제 마지막으로 지금까지 해 왔던 내용을 정리해서 구체적인 액션플랜을 설계해 볼 것입니다. 실행 가능한 계획으로, 구체적으로 작성할수록 좋습니다.
　　　 물론, 이대로 실행해 나갈 수는 없어요. 인생은 변수의 연속이니까요.

하지만, 설계를 통해 중심을 잡고, 점진적으로 나아가면서 수정, 보완하기를 추천합니다. 영주님만의 브랜딩 설계를 통해 영주님은 꿈에 대한 확신하게 될 것입니다.

영주   네. 해 볼게요.

오늘   <워크시트 13>의 1번 나의 브랜딩 계획하기는 역순으로 목표를 설정하고 계획할 것입니다. 앞서 게리 켈러 <원씽> 이야기 했던 것 기억나세요? 계획을 역순으로 하도록 하라는 것 말이죠.

영주   네. 기억나요.

오늘   맞아요. 이제 진짜 그 역순 계획법을 실천해 볼 때가 왔어요. <워크시트 13>의 1번에 역순으로 3년 후의 목표를 먼저 결정하고, 2년 후, 1년 후 목표를 순차적으로 계획 해 보는 것이죠. 그리고 이어서 이제까지 해 왔던 나의 브랜드에 대해서 정리해 보고, 나 자신에게 하고 싶은 말을 적는 것입니다. 이전에 작성했던 워크시트들을 다시 보며 잊지 않아야 할 것들과 중요한 것들, 내 브랜드의 방향성에 대해 다시 정리해 보는 것이죠. 자유롭게 작성하시면 됩니다. 참고 예시 보시면서 하세요.

< 워크시트 13 > 나의 퍼스널브랜딩 설계하기

1. 나의 브랜드 계획하기

기간	년/월	목표	세부 계획
3년이내 계획	년 월까지		
2년이내 계획	년 월까지		
1년이내 계획	년 월까지		
6개월 계획	년 월까지		
3개월 계획	년 월까지		
1개월 계획	년 월까지		

2. 나의 브랜드 종합 정리

3. 나에게 하고 싶은 말

1. 나의 브랜드 계획하기

기간	년/월	목표	세부 계획
3년이내 계획	2026년 12월까지	'완벽한오늘'브랜드 확장	'완벽한 오늘' 지기 양성 협업 및 나눔프로세스 구축
2년이내 계획	2025년 12월까지	'완벽한오늘'브랜드 투자받기	지자체, 관련 유관기관, 개인 브랜드 협업 추진
1년이내 계획	2024년 12월까지	커뮤니티 확장 독서모임 책 출간	지역내 독서모임 및 상담 홍보를 통해 오프라인 영역확장
6개월 계획	2024년 6월까지	컨설팅, 강의	퍼스널 브랜딩 강의 및 컨설팅 홍보, 활성화
3개월 계획	2024년 3월까지	홍보 채널 확장	유튜브 채널 시작 브랜드 운영 과정 컨텐츠화
1개월 계획	2024년 1월까지	퍼스널브랜딩 책출간 독서모임 운영	인스타그램 채널 홍보 월 1회, 주 1회 독서 모임 운영 후 후기 작성

- 역순으로 목표 설정(3년 후 → 2년 후 → 1년 후)
*역순으로 작성 시 3년 후 나의 계획을 위해 무엇을 해야 할지 알 수 있음
*개인의 선호에 따라 순 방향 작성 가능
- 세부 계획 : 아웃풋 계획, 채널 운영 계획 등

2. 나의 브랜드 종합 정리

책과 상담을 기본으로 서비스 프로세스를 구축하고, 확장 해 나가기
자신의 특별함을 발견하고, 이를 통해 수익화 할 수 있는 다양한 서비스 지원
책 판매를 위해 꾸준히 책을 읽고, 북큐레이션 관련 노하우 쌓기
독서 모임 운영 및 참여, 주인공들과 소통하며, 책 관련 정보와 지식을 쌓고 공감대 형성
퍼스널브랜딩 운영 과정 기록해서 자료화하기
제안 자료 등을 사전에 준비해서 기회가 왔을 때 잡기

3. 나에게 하고 싶은 말

하고 싶은 일을 하기 위한 과정임을 잊지 말자.
일에 잠식되지 말고, 일과 파트너가 되어 나아가자.
너만의 속도로 너답게 나아가는 것이 중요하다.
주인공을 잊지 말자, 분명 너를 필요로 하는 사람이 있을 것이다.

영주　오늘님. 지금까지 돌이켜보니 뭔가 감회가 새롭고, 벅차요.

오늘　영주님이 열심히, 그리고 성실히 실행해 오셨기에 가능한 것입니다. 아무것도 하지 않고, 워크시트가 너무 많다고 그냥 넘어갔으면, 아마 아무것도 변하지 않았어요.

영주　지금까지 포기하지 않았던 것이 너무 뿌듯합니다.

오늘　다행이네요. 하태완 <모든 순간이 너였다>입니다.

　　　더 이상 무너지지 않았으면 좋겠어.
　　　지금까지의 모든 순간이
　　　너 그 자체였음을 절대 잊지 말고 살아.
　　　너는 그 순간순간에 너도 모르게 단단해진,
　　　행복할 준비가 충분히 되어있는 사람이니까.

　　　단언컨대, 우리 영주님은 행복할 준비가 되어있으세요.
　　　오늘은 루이보스차를 준비했어요. 루이보스차는 카페인이 없고, 혈액순환, 피부 컨디션에도 도움이 되고, 숙면에도 좋아요. 오늘은 이 차 마시고, 푹 주무세요.

■ 나의 퍼스널브랜딩 설계하기

1. 역순으로 목표 설정하기
2. 나의 브랜딩 방향성 정리하기
3. 나에게 하고 싶은 말 전하기

Personal Brand!

나를 더 사랑하게 하는 퍼스널브랜딩 상담

Part 5.
퍼스널브랜딩은
해야 할 것들이
너무 많아요.

Part 5. 퍼스널브랜딩은
해야 할 것들이 너무 많아요.

(1) 멀게만 느껴졌던 독서, 이제 음악처럼 즐겨봐요.

영주   오늘님. 브랜드 운영을 하다 보면 모르는 것들이 너무
       많아요. 유튜브나 강의를 들어봐도 너무 많은 정보 때문
       에 정신이 혼란해지고, 무엇을 어디부터 어디까지, 어떻
       게 내 브랜드에 적용해야 할지도 잘 모르겠어요.

오늘   요즘은 정보가 너무 많죠. 넘쳐나는 정보들을 어떻게 선

별해서 내 것으로 만들지는 막막하기만 해요. 이럴 때 저는 독서를 합니다.

영주　네? 책을 읽으라고요?

오늘　네. 책을 읽으세요.

영주　책은 성인이 되고는 거의 안 읽었어요. 경제 공부나 아이 교육을 위해서 가끔 뒤져본 것이 다예요.

오늘　많은 사람이 그런 것 같아요. 그래도 독서 습관은 가장 중요한 성공법칙의 하나로 꼽습니다. 저 말고도 성공한 사람들 모두가요.

영주　정말요?

오늘　네. 자청 〈역행자〉도 매일 독서나 글쓰기에 시간을 할 애하면 반드시 성공할 것이라고 했어요. 유튜브로 학습을 하면 된다고 생각하는 사람들이 있는데, 유튜브나 강의 등을 통한 학습도 좋지만, 체계적으로 지식을 습득하기는 책만 한 것이 없어요. 가성비도 좋고요. 관심 분야가 있으면, 관련 책을 6권 이상만 읽으면 전문가가 돼요.

■ **한 분야의 전문가가 되기 위한 책 선정**

1. 기본, 입문 도서 2권
2. 사례 적용 도서 2권
3. 전문 도서 2권

영주　6권이나요?

오늘 전문가가 되는 일은 힘든 일이에요. 하지만, 유료 강의나
     유튜브에서 양질의 정보를 단계별로 선별해서 보는 것보
     다 책을 6권 골라서 읽는 편이 더 효율적일 수 있죠.

영주 그렇긴 하네요.

오늘 유튜브는 시청각 정보가 필요하거나 최신 정보를 빠르게
     습득할 때에 도움이 돼요. 그리고 다양한 주제를 접할
     수 있는 장점도 있죠. 하지만 역시 체계적으로 깊이 있
     게 공부하고자 할 때는 책이 좋아요.

영주 그럼 어떻게 해야 책과 좀 더 친해질 수 있을까요? 안
     읽다가 읽으려니 막막함만 앞서네요.

오늘 책과 가까이하기 위해서는 본인에게 맞는 독서법을 찾는
     것이 중요해요.
     제가 추천하고 싶은 독서 방법은 세 가지예요.

독서법 1 - 적극적인 독서

오늘 첫 번째는 적극적인 독서예요. 책에 밑줄도 긋고, 인덱스
     도 붙이고, 중간에 메모도 하면서 책과 대화를 주고받는
     것입니다. 그리고 가장 중요한 것은 내 삶에 적용하는
     것이죠. <부자들의 초격차 독서법>에서는 아웃풋 노트를
     작성하도록 합니다. 책에서 인용할 몇 문장과 이 책을
     통해 실행할 것들을 적도록 하는 거죠. 독서를 통한 실

행은 〈저는 이 독서법으로 연봉 3억이 되었습니다〉, 〈독서의 기록〉 등 다수의 자기계발서에서 강조했어요.

영주 실행이요?

오늘 네. 책에서 제안한 것 중에 내가 해 볼 수 있는 것을 하는 것이죠. 〈독서의 기록〉 저자는 〈더 해빙〉이라는 책을 읽고 내가 가진 것에 감사하는 해빙노트를 매일 적어 보았고, 〈N잡하는 허대리의 월급독립스쿨〉을 읽고 전자책을 무작정 써서 크몽에 올려보았습니다. 〈어린이를 위한 초등 매일 글쓰기의 힘〉을 읽고, '세 줄 쓰기' 워크북을 활용해 아이와 글쓰기를 함께 해나가기도 했다고 해요. 이런 식으로 삶에 적용하는 것이죠.

영주 대단하네요. 근데 적용도 적용인데, 저는 책을 지저분하게 보는 것을 싫어하는데요?

오늘 그러면 인덱스 필름을 붙이는 방법도 있어요. 포스트잇에 메모해서 책에 붙이는 방법도 있고, 따로 노트를 마련해서 노트에 생각나는 것들을 메모해도 좋아요.

영주 그렇군요.

오늘 저도 처음에는 책에서 인상 깊은 문구가 있으면 책 끝부분을 접는 것으로 그쳤는데, 나중에 왜 이 페이지를 접었는지 기억이 안났어요. 그래서 나중에는 인덱스를 문구가 있는 부분 옆에 붙이는 방식이나, 밑줄을 긋는 것으로 방법을 바꿨죠. 나중에 인덱스 잔뜩 붙은 책을 보면 그것도 보람되고 좋아요.

영주 그럴 수도 있겠네요.

오늘 책을 읽으며 생각나는 것들은 그 페이지에 바로 메모하거나 책의 제일 뒷페이지에 메모 해 두기도 해요. 책과 대화하듯이요. 책과 대화를 나눌수록 책을 읽는 것이 더 재미있어져요. 그리고 책의 모든 내용을 온전히 이해할 필요는 없어요. 그중 내가 인상 깊은 한 문장, 적용할 한 가지 방법만 찾아내도 성공한 것입니다.

영주 그래도 돼요? 한 문구도 놓치면 안 될 것 같았어요.

오늘 그렇게 하지 않아도 돼요. 인나미 아쓰시 <1만권의 독서법>에서는 책을 음악을 듣듯 읽도록 해요. 그리고 플로우 리딩이라고 자연스럽게 흘려보내듯 읽고 인용구 한, 두 문장과 책을 읽은 소감 한 줄만 독서 노트에 메모하죠. 그렇게 저자는 하루에 2권씩 책을 읽고 서평을 쓴다고 해요.

영주 그렇군요. 음악을 듣듯 책을 읽는다는 말이 인상 깊네요.

독서법 2 - 독서기록 남기기

오늘 두 번째 방법은 독서 기록이에요.
독서를 기록하는 방법은 다양해요. 앞서 소개해 드린 것처럼 아웃풋 노트를 쓸 수도 있고, 브랜드 채널을 통해 콘텐츠로 기록을 남길 수도 있어요. 중요한 것은 처음부터 과하게 하면 그것도 부담될 수 있으니 할 수 있는 것부터 해야 해요. 독서를 기록할 때 '북플립'이라는 앱이나 앞서 설명해 드렸던 '노션' 사이트를 통해 정리할 수도 있어요. 직접 쓰는 것이 편하면 내가 쓰고 싶어지는 예쁜 독서 노트와 펜을 마련해 보고요. 독서 기록을 남길 때, 인상 깊은 몇 문장과 책을 읽은 소감 몇 줄, 내 삶에 적용 해 볼 사항 한 가지면 충분해요.

■ 독서기록 남기기

1. 인상 깊은 문장 1~3문장
2. 책을 읽고 느낀 점 1~3줄
3. 책을 읽고 인용할 것 1가지

영주　이 정도는 기록할 수 있을 것 같아요.

오늘　다행이네요. '북플립' 앱을 사용하면, 그동안 읽은 책을 장르별, 월별로 볼 수 있어요. 메모 내용도 한눈에 볼 수 있으니 편할 거예요.

영주　좋네요. 그 앱을 한 번 사용 해 봐야겠어요.

독서법 3 - 목적 독서하기

오늘　마지막 세 번째 독서법은 목적 독서입니다. 이 책을 읽는 목적이 분명하면 책에 좀 더 몰입할 수 있어요. 그리고 책의 목적, 종류에 따라 다른 방법으로 읽을 수 있어요. 책은 크게 두 가지로 분류할 수 있어요. 소설과 비소설. 비소설 중 자기계발 도서나 지식도서의 경우는 지식 또는 노하우를 수집하는 독서법을 활용할 수 있어요.

> **■ 지식도서 읽는 방법**
>
> **- 발췌독 : 책 일부를 발췌해 읽는 독서법**
> **- 키워드 독서법 : 키워드를 중심으로 원하는 내용 수집해가는 독서법**

오늘 필요한 인사이트나 정보를 수집한 후 표시해 두고, 재독을 해서 그 인사이트를 흡수하는 방법을 권장합니다.
독서 전에 이 책을 읽는 목적이 무엇인지 질문하고, 그것에 필요한 지식 또는 답, 생각을 얻었는지에 대해 가늠해 보는 것이 중요해요.

영주 아~ 정말 목적이 분명해지겠네요. 그러면 확실히 집중은 더 될 것 같아요.

오늘 그렇죠. 그리고 소설의 경우는 이야기에 빠져드는 것이 목적이므로 빠르게 읽을 필요 없어요. 책의 스토리에 몰입해서 주인공의 감정변화나 사유에 이입해서 읽으면 돼요. 그것으로 충분해요. 한 가지만 이야기하자면 등장인물의 행동이나 생각에 대해 "나 같으면 이렇게 행동하겠다"보다는 "왜 저런 행동을 했을까?"하고 등장인물의 행동을 이해하는 방향으로 생각에 접근하기를 추천해요. 최승필 <공부머리독서법>에서 이런 방법은 공감 능력과 수용 능력을 키워줄 수 있다고 해요. 하지만, 이 또한 크게 중요하지 않아요. 소설은 그저 책 속 스토리에 빠져서 만끽하길 바랍니다.

영주 그렇군요. 소설은 좋아요.

독서 습관 기르기

오늘 적극적 독서, 독서 기록, 목적 독서 3가지 독서 방법을 중심으로 독서 계획을 세우고, 무엇보다 독서를 습관화하는 것이 중요해요. 독서 계획을 세울 때는 필요에 따라 주제 독서를 할 수 있어요. 앞서 잠깐 언급한 것처럼 주제 독서는 한 가지 분야를 공부하고 싶거나 의문이 들 때, 그 분야에 전문가가 되어야 할 때 사용하는 독서법이에요.

> ■ 주제 독서
> : 한 가지 분야에 관해 다양한 책들을 읽으며, 깊은 지식 축적과 사유를 이어가는 독서

영주 아~ 지금은 제가 주제 독서를 좀 해야겠네요.

오늘 그렇죠. 그리고 독서 습관의 들숨과 날숨을 위해 병렬독서를 활용하는 것도 방법이에요. 독서 중에 한 권의 책만을 완독하고 다음 책으로 넘어가는 것이 아니라 나의 기분,

바이오리듬, 특성 등에 따라 다양한 책들을 돌아가며 읽는 방법입니다. 예를 들면 <나는 이 독서법으로 연봉 3억이 되었습니다>의 저자는 자기계발서는 밤에 읽지 않는다고 해요. 생각이 많아지고 뭔가를 더 해야 할 것 같아서 잠이 오지 않을 수 있거든요. 그래서 밤에는 소설이나 에세이 중심으로 긴장을 완화하고, 자극이 덜한 책을 읽는다고 해요.

영주　정말 그렇겠네요. 밤에는 자기계발서는 읽지 않는다.

오늘　그리고 벽돌책(벽돌처럼 두꺼운 책)이나 난이도가 높은 책의 경우는 완독하기까지 시간이 걸려서 성취감을 느끼지 못할 수 있어요. 그럴 때는 쉽게 읽히는 책과 함께 독서 계획을 세울 수 있어요. 벽돌책은 하루에 1챕터씩만 읽고, 비교적 쉽게 읽히는 다른 책을 읽는 방법이죠. 그러면 다른 책을 완독하며 성취감이 들 수 있고 조급해지지 않아서 벽돌책을 좀 더 집중할 수 있어요.

영주　벽돌책이라니…. 처음 들었어요.

오늘　저는 한 번에 1권의 책을 완독하는 1회 1완독 독서법도 권장하는 편이에요. 책의 흐름을 끊지 않고, 한 번에 빠르게 책을 다 읽고, 책의 전체적인 맥락과 주요사항을 파악하는 거죠. 그리고 표시해 둔 곳 중심으로 2회독 하고, 주요 사항을 메모하는 방식을 활용하면 성취감도 들고, 책의 메시지를 잊지 않는 데에 도움이 돼요.

영주　한 번에 한 권이요? 이건 저한테 무리일 것 같은데…….

오늘　처음에는 힘들 수 있어요. 하지만 조금 익숙해지면 요령이 생기니 그때 활용하면 좋을 것 같아요. 무엇보다 중요한 것은 독서 습관이에요. 모든 습관이 그렇듯 독서 습관도 한 번 어긋나게 되면, 다시 습관화시키기까지 많은 시간이 필요해요. 그래서 처음에는 무리한 목표와 계획보다는 지속 가능한 루틴화를 시키는 것에 집중하도록 해야 해요. 하루에 30분이라도 일정한 시간에 책을 읽는다거나, 독서 후 3줄 일기를 쓰는 등의 실행 가능한 목표가 중요해요. 루틴화가 되면 점차 늘려가는 거죠.

영주　맞아요. 저는 정말 중요한 건 바로 이 루틴화예요.

오늘　하루에 책을 읽을 시간을 미리 정해두고, 짧은 시간이라도 그 시간은 독서를 하는 것으로 루틴화 할 수 있어요.

영주　그래야겠네요.

오늘　루틴화를 하는데 다양한 플랫폼을 활용할 수도 있어요. 오디오북, 전자책, 종이책이 있죠. 최근에는 굳이 종이책만을 고집하지 않는 추세예요. 다양한 플랫폼이 활용도 있게 잘 나와 있어요. 도서관 앱만 깔아도 무료로 마음껏, 어디서나 전자책을 읽을 수 있어요.

　　　소설의 경우 오디오북으로 성우가 생생하게 들려주면 더 생동감이 넘쳐요. 밀리의 서재를 많이 이용하죠. 저도 여행 중에 도서관에서 제공하는 오디오북으로 소설을 완독

했는데, 인상이 더 깊게 남았고, 여행과 감성이 연결되며 책의 재미를 더할 수 있었어요. 오디오북은 이동 중에 들을 수 있죠. 운전하거나 걸을 때도 들을 수 있으니, 책과 가까이하기에 이렇게 활용도 좋은 도구는 없어요.

영주   오디오북은 정말 생각도 못 했네요. 많이들 듣나 봐요.

오늘   네. 요즘은 점점 더 오디오북과 전자책을 활용하는 사람들이 증가했더라고요. 전자책은 휴대가 편해서 좋죠. 언제든 시간이 나면 휴대폰을 꺼내 책을 볼 수 있어요. 갑자기 애매하게 시간이 생기면, 휴대폰으로 전자책을 꺼내 읽으면 돼요.

영주   전자책도 정말 좋네요.

오늘   한 권의 책을 오디오북과 전자책, 종이책으로 상황에 따라 도구를 달리해서 읽으면, 책 읽는 속도가 더 빠를 수 있어요. 예를 들면, 출근길에는 오디오북으로, 점심시간에는 전자책으로, 퇴근 후에는 종이책으로 읽는 것이죠.

영주   오~ 그러면 하루에 한 권씩도 읽겠는데요?

오늘   그렇죠. 아니면, 책의 특성에 맞게 세 가지 플랫폼으로 병렬독서를 할 수도 있어요. 예를 들면 소설은 오디오북, 전자책은 에세이, 종이책은 지식 독서 용도로 활용하면, 독서의 효율과 효과를 높일 수 있죠.

영주   와~ 정말 독서를 할 방법은 다양하네요.

오늘   그렇죠. 마음먹고, 나에게 맞는 방법으로 무리하지 않게 계획 해 보세요. 그리고 중요한 것은 오늘부터 당장 실천하는 것입니다. 오늘 당장 책을 한 권 구매, 또는 대여하는 것으로 하죠. 아니면 전자 도서관 앱을 다운 받고, 회원가입을 하는 것부터 시작해도 좋고요.

영주　좋아요. 당장 할게요.

오늘　어니스트 헤밍웨이 <노인과 바다>에 이런 문장이 있어요.

> 인간이라면 파괴당할지언정
> 그에게 패배란 있을 수 없지.

영주님. 우리에겐 패배란 있을 수 없어요. 알죠?

오늘은 도서관 회원 가입하시는 동안 가볍게 드실 페퍼민트를 준비했어요. 페퍼민트는 두통 완화와 스트레스 감소에 도움을 줘요. 기분을 좋게 하고, 기억력도 좋아진다는 말도 있어요. 차 드시면서 천천히 우리 전자 도서관 앱도 다운받아봐요.

■ 독서 계획 세우기

독서시간	
독서장소	
독서기록 방법	
기타독서 계획	

(2) 어려운 글쓰기, 이제 산책하듯 익숙해져요.

영주 오늘님. 퍼스널브랜딩을 하는 데 글을 써야 하는 일이 왜 이렇게 많아요? 글쓰기 너무 힘들어요. 저는 글을 쓴 경험도 별로 없고, 책은 그냥 수동적으로 읽으면 된다지만 글쓰기는 정말 어떻게 해야 해요? 다른 방법 없어요?

오늘 글쓰기는 익숙하지 않은 사람들에게는 정말 고역이죠. 책을 읽는 것은 그에 비하면 단순할 수 있어요. 책은 펼치고, 읽고…. 이게 끝이죠. 하지만 글쓰기는 어떤 글을 써야 할지, 어떻게 시작해야 할지 막막하기만 해요.

그래도 글쓰기는 퍼스널브랜딩 전반에 빠질 수 없는 요소입니다. 영주님의 브랜딩을 알리기 위해서는 어떤 방식으로든 나의 브랜드가 좋다는 표현을 해야 하겠죠. 말, 글, 영상 등 어떤 것으로 표현해도 결국 어떤 시나리오가 구성되어야 해요. 그 시나리오는 역시 글로부터 시작돼요. 우리는 말로 표현하는 것은 익숙하지만, 글로 표현하는 것은 익숙하지 않죠. 특히 장문의 글을 구조화시키는 것은 서툴기 그지없어요. 그래서 글쓰기는 연습이 필요한 것이죠.

영주 글쓰기 연습이요? 어떻게 하면 되는데요? 정말 쉬운 것부터 알려주세요.

글쓰기 연습법 1 - 일기 쓰기

오늘 글쓰기를 습관화하는 가장 쉬운 방법은 역시 일기죠. 누가 볼 것이라는 의식 없이 그저 표현을 글로 하는 그 자체를 연습하는 것입니다. 떠오르는 생각을 글로 써 내려가는 것이 일기입니다. 아무 제약도 규칙도 없이 자유롭게 글을 쓰기 시작하는 것이 1단계입니다.

영주 일기를 안 쓴 지 오래되었는데 그래도 한 번 써봐야겠네요. 짧게 써도 되겠죠?

오늘 당연하죠. 짧게 쓰세요. 분량은 점차 늘려가면 됩니다.

글쓰기 연습법 2 - 묘사하기

오늘 두 번째 연습 방법은 묘사입니다. 어떤 사진 또는 그림, 사건을 묘사하는 것입니다. 촉촉한 마케터<내 생각과 관점을 수익화하는 글쓰기>에서는 그림을 묘사하는 것을 추천했어요. 그림 속 물건이나 선 하나, 하나를 묘사할 수 있죠. 아래 사진 한 번 묘사해 보시겠어요?

영주   테이블 위에 장미꽃이 있다. 뒤에는 커튼이 있고, 장미꽃의 색은 핑크 계열이고, 다양한 꽃들이 꽃병에 꽂혀있다.

오늘   잘하셨어요. 이렇게 묘사를 하고 이 꽃을 보고 든 생각을 이어서 쓸 수 있겠죠?

영주   그냥 막 써요? 아무거나?

오늘   네. 아무 내용이나 생각나는 대로 쓰시면 돼요.

영주   기념일인가? 꽃을 선물 받았나보다. 나는 꽃을 선물 받아본 게 언제지? 나도 꽃 선물해달라고 할까? 책상에 꽃을 꽂아놓고 싶다. 책상이 지저분한 것 같은데…. 꽃이 있으면 기분이 좋아지겠지?

오늘   잘하셨어요. 이렇게 하시면 돼요.

영주   잘한 거예요?

오늘   네. 이렇게 하시는 연습을 하세요. 그렇게 글을 쓰다 보면 어떤 상징적이거나 하고 싶은 이야기가 떠오를 때가 있죠. 그러면 그 이야기로 끌고 가시는 거죠. 예를 들면, 꽃 선물 받았던 추억과 느낌 중심으로 하거나, 어떤 종류의 꽃을 좋아한다거나, 책상에 꽃을 꽂아두면 좋은 이유 같은 주제로요. 그리고 이야기와 상관없는 내용을 삭제하고 수정하면, 글 하나가 완성되는 거죠. 만약 떠오르지 않으면 그날은 묘사까지만 하면 돼요. 그리고 다음에 다른 사진을 묘사할 때 하고 싶은 이야기가 떠오르면 그것을 쓰면 됩니다.

영주   그렇군요. 익숙해지는 것이 중요하겠어요.

오늘   맞아요. 사진 말고 사건 또는 생각 묘사도 할 수 있어요. 오늘 회사에 있었던 일 같은 것이죠.

"오늘은 커피믹스를 마셨다. 커피머신기에 원두가 없어서 어쩔 수 없이 믹스를 마셨는데, 너무 달다. 종이컵에 믹스가루를 넣고, 뜨거운 물을 넣었다. 티스푼이 있어서 저어주니, 커피가루가 물에 녹아가는 것이 보였다. 덩어리가 서서히 액체가 되어간다."

이런 식으로 상황 묘사를 하는 것이죠. 이것이 글쓰기의 시작입니다. 이렇게 상황이나 사건 등을 묘사하다 보면, 자기 생각도 명확해지고 생각의 방향도 파악해 볼 수 있어요. '나는 어떤 부분에 집중하고, 어떤 것을 중요하게 생각하는구나….' 하는 부분도 느껴볼 수 있죠. 거기까지 느끼지 못하더라도, 적어도 내 블로그 글을 쓰거나 인스타그램 캡션, 유튜브 시나리오는 쓸 수 있게 됩니다.

영주   역시 연습이 필요하겠어요.

글쓰기 연습법 3 – 글쓰기 도구 활용하기

오늘   글을 쓰는 것이 그래도 많이 어색하면, 앱을 사용해서 글쓰기를 시작할 수도 있어요. DAGLO라는 앱은 말하는 것을 녹음해서 글로 변환해 줍니다. 그리고 변환된 글을 요약하거나 수정해 주기도 해요. 이 앱으로 하고 싶은 말을 두서없이 생각나는 대로 표현해서 글로 변환된 것을 바탕으로 보완해 나가는 것도 방법입니다.

영주 오~~그런 게 있어요?

오늘 네. 그리고 CHAT GPT는 들어보셨죠?

영주 들어는 봤는데 잘 몰라요. 이용해 본 적도 없고요.

오늘 CHAT GPT는 대화형 인공지능 챗봇입니다. 질문하면 원하는 답을 주죠. CHAT GPT에게 질문하면 이 친구가 답변을 해줘요. 목차도 짜주고, 분류하고, 요약도 해줘요. 정보 수집과 시나리오 작성도 도와줘요. 예를 들면, 육아 관련 인스타그램 게시물을 올릴 건데 어떤 주제로 하면 좋을까? 이렇게 질문하면 이런 답변을 줘요.

영주 오~ 신기하네요.

오늘 하지만 CHAT GPT는 내 글쓰기를 보완해줄 도구에 불과해요. CHAT GPT는 무조건 답변하게 설정되어 있어서 잘못된 정보를 줄 때도 많아요. 그러니 무조건 신뢰하지 말고, 꼭 정보는 검증해야 해요. 저는 CHAT GPT를 논의의 대상으로 주로 사용했어요. "이렇게 하면 이렇지 않아?"라고 질문하면, 다른 관점을 주거나, 생각을 체계적으로 정리해서 표현해 주거든요. 관련 근거를 찾아주기도 하고요. 이런 기능들을 활용해서 내 글쓰기의 완성도를 높여줄 수 있어요.

영주 좋네요.

오늘 글쓰기를 도와줄 도구는 또 있어요. 뤼튼 Wrtn.ai, bard 등은 문법이나 맞춤법 오류를 잡아주고, 글을 체계적으로 다듬어줘요. 이미지나 동영상 생성도 도와줘요. 카피라이팅을 할 때도 유용하죠. 하지만 어떤 도구든 정확한 정보는 아니니 반드시 검증 과정을 거쳐야 해요.

글쓰기 도구	주요 내용
챗 GPT CHAT GPT	https://chat.openai.com/ 창의적 콘텐츠 생성에 도움, 최신 정보 습득 불가
뤼튼 Wrtn.ai	https://wrtn.ai/ 리서치부터 문서작업, 이미지 생성 등, 유료
바드 Bard	https://bard.google.com/ 출력시간이 빠르고, 최신 정보 습득 가능
다글로 DAGLO	https://daglo.ai/ 녹음 파일부터 유튜브 영상까지 음성 텍스트 변환 및 편집

영주 좋은 도구들이 많네요.

오늘 맞아요. 맞는 도구를 잘 활용하면 글쓰기도 조금 더 익숙해지고, 완성도 있게 구성할 수 있어요. 중요한 것은 글쓰기도 독서만큼 습관화가 중요하다는 것입니다.

블로그 같은 경우는 블로그 챌린지 등을 할 수 있고, 글쓰기 공간 안에서 글감을 주기도 해요. 글감을 주면 그것에 대해 정보도 수집하고, 글을 써 볼 수도 있어요. 네이버 지식인의 질문을 찾아서 답변을 글로 써 보는 것도 좋고, 책의 한 페이지를 필사하고, 그에 대한 생각을 써 봐도 좋고요. 이런 글감들을 찾아서 일단 써보는 것이 중요해요. 자기 전, 아침 단 10분 만이라도, 무엇이든 써 내려가는 연습을 한다면, 퍼스널브랜딩뿐만 아니라 삶 전반이 풍성해질 것이라 확신해요.

영주 할 일이 너무 많네요. 이것도 해야 하고, 저것도 해야 하고….

오늘 윤정은 〈메리골드의 마음세탁소〉에 이런 문장이 있어요.

> 시를 써서 제일 좋은 점이 무엇인 줄 아십니까? 잘못 쓰면 다시 쓸 수 있다는 점입니다. 노트에 연필로 시를 쓰는데 잘못 쓰거나 틀리면 지우개로 지우거나 직직 긋고 다시 씁니다. 지우거나 직직 그으면 흔적이 남지

만, 그만큼 고민한 흔적이니까
그것도 참 좋습니다.

처음부터 완벽한 것은 없어요. 특히 글쓰기는 더 그렇죠. 그런데 그 고민한 흔적들은 선명히 남아요. 연필로 쓰고, 지우개로 지우지 않아도, 내 머릿속의 생각 흔적과 관점들이 쌓이고 쌓여서 나를 더 넓은 세상으로 이끌죠. 글쓰기는 참 매력적인 작업이에요. 물론 처음에는 힘들겠지만….

영주　위로가 안 되는데….

오늘　그럼 오늘은 특별히 차 말고 달콤한 코코아를 드릴게요.

영주　코코아 오랜만인데…. 감사해요.

■ 글쓰기 계획 세우기

글쓰기 시간	
글쓰기 장소	
글쓰기 글감	
글쓰기 방법	

Personal Brand!

나를 더 사랑하게 하는 퍼스널브랜딩 상담

Part 6.
정말 제 브랜드가
생겼네요.

Part 6. 정말 제 브랜드가 생겼네요.

(1) 영주님. 중간에 힘들어지면 5가지만 기억하세요.

영주 　오늘님. 저 무너지고 있어요.

오늘 　영주님. 무슨 일 있어요? 왜요?

영주 　퍼스널브랜딩이 장기전이잖아요. 그래서 흔들리는 상황
　　　들이 자주 생겨요. 제가 짧게 운영을 해 봐도 지금 이 5
　　　가지는 이따금 제 마음 속 고민으로 불쑥불쑥 튀어나와
　　　요. 이럴 땐 어떻게 하면 좋을까요?

오늘 맞아요. 퍼스널브랜딩을 하다 보면 말씀하신 5가지로 힘든 순간이 오는 것 같아요. 아니, 그 이상으로 다양한 이유로 힘든 상황이 와요. 말씀하신 5가지의 상황에 대해서 저마다의 이유가 있지만, 가장 보편적인 대처 방법에 대해 알아볼까요?

영주 네. 좋아요.

오늘 먼저 포기하고 싶어지시면, 그 포기하고 싶은 것이 내 브랜딩에 얼마나 중요하고, 급한 것인지부터 따져보셔야 해요. 그리고 크게 중요하거나 급하지 않으면 포기해도 되요. 포기는 도전했다는 증거예요. 포기나 실패에 작아질 필요는 없어요. 우리는 우리 브랜드를 오랫동안 끌고 갈 사람들입니다. 그 과정에서 포기나 실패는 당연한 과정이에요. 그러니 그 일의 중요도와 우선순위를 따져서 포기하시라고 말씀드리고 싶어요. 그런데 만약 정말 중요한 일인데 포기하고 싶어지면, 잠시 멈춰보세요. 단,

스스로 언제까지 멈추겠노라 약속하고, 그 기간까지는 내 브랜드를 그냥 잊어버리고 푹 쉬세요. 그래도 돼요. 큰일이 일어나지 않아요. 그리고 다시 달리시면 됩니다. 포기하고 싶다는 건 부단히 열심히 했다는 뜻입니다. 그런 자신에게 잠시 시간을 주세요.

영주 　네. 꼭 그럴게요.

> **■ 포기하고 싶어지면?**
>
> **일의 우선순위와 중요도가 높지 않으면 과감히 포기하기**
> **만약, 일의 중요도가 높을 때는 우선 잠시 멈추기**
> **단, 기한을 정하고, 그때까지는 온전히 그 일에서 벗어나기**

오늘 　두 번째로 조급함은 비교에서 비롯될 때가 많아요. 그때는 나의 페이스대로 속도 조절을 할 필요가 있어요. 급하게 먹는 떡은 체하기 마련이고, 맞지 않는 신발은 상처를 냅니다. 내 브랜드의 가치와 지향하는 바를 잊지 말고, 나의 주인공들에게 집중하세요. 내 주인공이 원하는 것과 그들을 위해 무엇을 해 줄 수 있는지에 에너지를 쏟으세요. 드라마 <스타트업>에 이런 말이 나와요. "넌 코스모스야. 가을에 가장 예쁘게 필 거야. 그러니까 너무 초조해하지 마." 꽃들이 모두 봄에 핀다고 코스모스도 봄에 필 수는 없잖아요. 영주님은 코스모스임을 잊지 마세요.

■ 조급함이 들 때는?

남들과 비교하지 말고, 나의 속도를 지키기.
나의 주인공에게 집중하고, 나는 코스모스임을 잊지 말기.

영주　저는 코스모스였군요. 전 튤립이 좋은데;;;

오늘　튤립……. 도 예쁘죠.

영주　네. 이뻐요.

오늘　세 번째로 아이디어가 필요하면은….
　　　우리 콘텐츠 기획할 때 어떻게 했었죠?

영주　음…. 벤치마킹하고, 믹스하고, 다양한 시즌이나 상황에
　　　맞춰서 콘텐츠를 기획했죠.

오늘　맞아요. 아이디어가 필요하면, 벤치마킹하고, 믹스하고,
　　　특히 그 때, 그 때 떠오르는 아이디어는 완성도 여부를
　　　떠나서 꼭 메모해 두세요. 그리고 하나 더 말씀드리면,
　　　우리의 주인공한테 물어보세요.

영주　주인공한테요?

오늘　네. 주인공이 필요한 것을 더 찾아내는 것이죠. 주인공에
　　　게 설문도 받고, 주인공에게 인터뷰도 받고, 주인공을 도
　　　와주면서 더 필요한 것이 무엇인지 찾아내는 것이죠. 브
　　　랜드는 주인공을 위한 것이니까요. 그리고 그렇게 묻는
　　　과정도 하나의 콘텐츠가 될 수 있어요.

영주　그러네요. 주인공. 내 주인공을 잊지 말아야겠어요.

> **■ 아이디어가 필요하면?**
>
> **벤치마킹하기, 믹스하기, 시공간 활용하기,**
> **표현방법을 다르게 하기**
> **가장 중요한 것!! 주인공에게 물어보기**

오늘　네 번째는 확신이 필요할 때네요. 확신이라는 건 내가
　　　지금 잘하고 있는지에 대한 확신인 거죠?

영주　네. 맞아요. 브랜드 채널을 운영할 때마다 내가 잘하고
　　　있는지 정말 모르겠고, 불안할 때가 있어요. 누가 잘하고
　　　있다고 말해도 잘 못 믿겠고, 뭔가 나만 잘못하고 있는
　　　것 같은 느낌이 들 때가 있어요.

오늘　정말 그래요. 그런 때는 주변의 칭찬도 귀에 잘 안 들어
　　　오죠. 그럴 때를 대비해서 우리는 자신감 폴더를 만들어
　　　둘 것입니다.

영주　자신감 폴더요?

오늘　네. 주인공의 피드백 중에 진정성 있고, 내 마음이 부풀
　　　어 올랐던 것들을 모아두는 것이죠. 화면을 캡처해도 되
　　　고, 어떤 방식이든 좋아요. 이 자료는 나중에 홍보 자료
　　　로도 쓰일 것이지만, 내 자신감을 회복하고 확신하게 하
　　　는 것에도 도움이 되죠.

영주   그렇겠네요. 그런데 그런 피드백을 들어본 적도 없으면 어떻게 하죠? 저장할 거리가 없을 것 같은데?

오늘   브랜드 채널의 댓글들이 있잖아요. 댓글이 길든 짧든 기분이 좋았다면 저장해 두시면 좋죠. 모아두면 그 댓글들도 알차답니다. 나중에 다시 찾으려고 하면, 찾다가 지쳐요. 미리 모아두시면 좋죠. 그리고 저와 작성했던 워크 시트지를 다시 보세요. 처음 어떤 마음으로 시작했고, 지금 얼마나 잘 걸어왔는지 체감하세요.

마지막으로 주변 사람 중 진솔하지만, 긍정적으로 표현하는 분들이 있을 것입니다. 그분들에게 좋은 이야기를 해 달라고 하세요. 이럴 때는 날카로운 조언보다는 힘이 되는 응원이 더 좋습니다. 이럴 때, "너를 생각해서 하는 말인데~" 라는 말은 필요 없습니다. 정말 필요한 날카로운 조언도 있을 수 있지만 그런 이야기는 영주님의 컨디션이나 기분이 괜찮을 때 들으세요.

영주   그럴게요. 이럴 때는 저 자신을 좀 더 북돋아 줄 수 있는 활동을 해야겠네요. 자신감이 부족한 것일 테니까요.

■ **브랜드에 확신이 없어지면?**

1. **자신감 폴더 확인하기(미리 그때, 그때 저장하기)**
2. **작성한 워크시트 다시 보기**
3. **주변인들에게 긍정적 응원 듣기(조언은 컨디션 좋을 때 듣기)**

오늘 그리고 마지막으로 지쳤을 때이네요.

지친 이유는 크게 두 가지가 있어요. 지금 하는 일이 지루해졌거나, 지금 하는 일이 버거울 때죠. 지루해졌다면 다른 좀 더 재미있거나 동기부여가 될 수 있는 일을 할 수 있고, 버거울 때는 역시 쉬어야죠. 앞서 말씀드린 것처럼 쉴 때는 온전히 쉼이어야 해요. 동기부여는 커뮤니티 활동을 하거나, 협업하는 것도 방법이고, 책을 읽는 것도 좋아요.

영주 온전한 쉼이 잘 안 될 것 같은데요?

오늘 맞아요. 그건 힘든 일이죠. 박상영 <순도 100퍼센트의 휴식>에 이런 문장이 나와요.

> 마음의 여유를 1퍼센트라도 찾아보려는 게
> 역설적이게도 순도100퍼센트의 휴식인 거야.

중요한 것은 마음의 여유를 1%라도 찾아보려는 것이죠. 그 의식적인 활동이 영주님에게 쉼이 되어줄 것입니다. 가족들과 눈 맞추는 횟수를 늘리거나, 자연의 바람을 느껴보려고 하는 것이죠. 저는 좋은 시를 필사 해 보니 짧은 시간 안에 눈물이 날 만큼 온전한 마음의 여유를 느낄 수 있었어요.

영주 무슨 의미인지 알 것 같아요. 그렇게 할게요.

오늘 대신 한없이 쉬시면 안 됩니다.

영주　네. 그럴게요.

오늘　오늘은 정말 마지막 상담이었어요. 고생 많으셨습니다.

오늘은 헤르만 헤세 <데미안> 속 문장을 들려드릴게요.

> 새는 알에서 나오려고 투쟁한다.
> 알은 세계이다.
> 태어나려는 자는
> 하나의 세계를 깨뜨려야 한다.

영주님은 지금 하나의 세계를 깨뜨리기 위해 투쟁하고 있어요. 하나의 세계를 깨뜨린다는 것은 쉽지 않은 일이지만, 그 일을 통해 우리는 더 넓은 진정한 세계를 마주할 수 있게 되죠. 어렵고 고되지만, 영주님은 할 수 있어요. 지금까지 잘해 왔던 것처럼.

영주　감사합니다.

오늘　오늘은 마지막 날이니깐. 와인 어떠세요? 이탈리아 와인인데, 우연히 마셨는데, 밸런스가 좋아서 추천해 드리고 싶었어요. 향도 좋고, 바디감도 적당해서 부담없이 즐기

실 수 있을 것입니다. 우리의 시작이자 마무리를 이렇게 기념해봐요.

영주   너무 좋아요. 그리고 너무 감사했어요.
덕분에 많은 것이 달라졌어요. 제가 이렇게까지 해 낼 수 있을지 정말 몰랐어요.

포기하지 않았다는 것이 스스로 가장 자랑스럽네요.

이젠 정말 혼자 할 수 있을 것 같아요. 앞으로도 지금처럼 즐겁게 그리고 끈기있게 해 나갈게요.
완벽한 오늘의 상담은 처음에 말씀하신 것처럼 제게 더 없는 기회였습니다.

저는 확실히 저를 더 사랑하게 되었어요.

그동안 감사했습니다.

(2) 완벽한 오늘의 상담 후에 읽으면 좋은 책

퍼스널브랜딩은 이 책 한 권으로 마무리할 수 없어요. 완벽한 오늘의 상담은 입문자들을 위한 가이드 제공에 초점이 맞춰져 있습니다. 수익화 방법 등 추가 도서를 통해 공부하시기를 권장합니다. 무작정 많은 정보와 지식을 쌓는 것에만 집중하기보다는 필요한 것이 무엇인지를 정확히 파악하고, 지식 또는 정보를 수집한 후에는 반드시 삶에 적용하세요. 정리가 안 된 상태에서 정보들만 너무 많이 쌓이면 오히려 혼란스러울 수 있어요.

지식 습득의 목적과 적용을 잊지 말고 보완해 나가시길 추천드려요.

1단계 : SNS 활용기술에 대한 정보가 자세히 나와 있는 책을 읽으세요.

예) 정진호 [인스타그램퍼스널브랜딩]
도리토리 [유튜브로 월급 만들기]

2단계 : 평범한 사람들의 퍼스널브랜딩 성공 사례들 통해 아이디어를 얻을 수 있어요.

예) 최은희 [100명의 1인기업가를 만든 SNS 퍼스널브랜딩 비법]

3단계 : 마케팅 관련 개념을 좀 더 이해하면 좋습니다.

예) 세스고딘 [마케팅이다]

4단계 : 콘텐츠 기획에 도움이 되는 책을 읽으세요.

예) 김재수 [아웃풋법칙]
주언규 [슈퍼노멀]

5단계 : 마케팅 전략서들은 실용적이고, 영감을 줍니다.

예) 장문정 [왜 그 사람이 말하면 사고 싶을까?]
탁정언 [죽이는 한 마디]
도널드 밀러 [무기가 되는 스토리]
안성은 [믹스]

6단계 : 개인의 수익화 계획에 따라 관련 도서를 읽으세요.

예) N잡하는 허대리 [N잡하는 허대리의 월급 독립스쿨]

(3) 영주님께 드리는 편지

귀하고 소중하고 우리 영주님께.

우연처럼 만나 운명 같은 시간을 함께한 우리 영주님.
영주님과 상담하며, 저 또한 영주님께 많은 것을 배웠습니다.

막막하고, 낯설었지만 시작하는 용기를 내어준 우리 영주님.
지친 상황에서도 포기하지 않고, 나아갔던 우리 영주님.
솔직하게 감정을 표현하고, 진지하게 고민해 나간 우리 영주님.
조급하고, 불안하지만 꿋꿋이 자신의 속도를 지켜간 우리 영주님.
두렵고, 서툴지만 계속해서 도전하는 우리 영주님.

영주님은 특별한 사람입니다.
누가 뭐래도 영주님은 꿈을 이룰 수 있습니다.
왜냐하면, 영주님은 그럴 수 있는 사람이니까요.

자신을 믿고, 더 사랑해주세요.
영주님은 이미 반짝반짝 빛나고 있어요.

완벽한오늘 드림

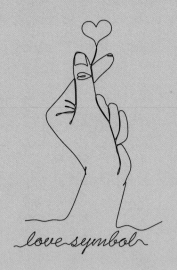

love symbol

Personal Brand!

나를 더 사랑하게 하는 퍼스널브랜딩 상담

완벽한 오늘의
상담을 마무리하며

완벽한 오늘의 상담을
마무리하며

영주님과의 상담은 저 또한 잊지 못할 시간이었습니다. 영주님은 아무 준비도 없었고, 퍼스널브랜딩이 무엇인지조차 몰랐습니다. 영주님은 특별할 것 없다고 생각한 우리의 현재이고, 나 자신을 잊고 지내온 우리의 과거였습니다.

하지만 영주님은 천천히 진지하게 각 단계에 임했습니다. 그리고 마침내 자신의 브랜드를 설계하고 나아갈 방향성을 찾았습니다. 영주님의 브랜드는 반드시 성공할 것입니다. 왜냐하면, 영주님이 그렇게 하기로 선택했으니까요.

우리도 이제 선택만 남았습니다. 우리도 꿈을 꾸고, 꿈을 이룰 수 있습니다. 그도 하고, 그녀도 하는데, 우리만 못한다는 것은 말도 안 됩니다. 우리는 우리가 정해버린 한계에서 벗어날 수 있습니다. 우리가 그리던 삶을 살아갈 수 있습니다. 다음 생애는 없습니다. 이번 생이 우리에겐 가장 중요합니다.

책을 읽는 모든 영주님들이 자신의 특별함을 발견하고 더 사랑하게 되었길 진심으로 바랍니다.

책을 준비하는 동안 묵묵히 지지하고 응원해 준 최정화님, 최아인님, 이광임님, 박양님님께 진심으로 감사드리며, 진심 어린 피드백과 격려를 보내준 김경애님, 이유리님께도 감사를 전합니다. 아낌없는 조언과 열정으로 책출판의 여정을 함께 해 주신 이다인님께 존경의 마음을 표하며, 함께 하는 작가의 탄생 1기분들께도 마음 가득 응원을 보냅니다.

저의 브랜드 '완벽한 오늘'은 늘 지금처럼 진정성을 가지고 많은 이들의 완벽한 오늘을 응원하는 여정을 이어갈 것입니다. '완벽한 오늘'의 앞날에도 많은 응원 부탁드리며, 완벽한 오늘의 상담에 함께해 주셔서 진심으로 감사합니다.

당신의 완벽한 오늘을 진심으로 응원합니다.
오늘은 항상 당신의 편입니다.
완벽한오늘

[참고 도서]

- 갤럽 프레스, 위대한 나의 발견 강점혁명(청림출판, 2021)
- 김정택, 김혜숙, mbti 16가지 성격유형의 특성 [개정판] (어세스타, 2015)
- 도널드 밀러, 무기가 되는 스토리(월북, 2018)
- 주언규, 슈퍼노멀(웅진지식하우스, 2023)
- 조연심, 퍼스널브랜딩에도 공식이 있다(힘찬북, 2020)
- 렘군, 아웃풋법칙(더퀘스트, 2023)
- 정진호, 인스타그램퍼스널브랜딩(애플씨드, 2023)
- 이호정, 사고싶은 컬러 팔리는 컬러(라온북, 2019)
- 김혜경, 최영인, 끌리는 퍼스널브랜딩의 비밀(성안당, 2020)
- 최영인, 성공하는 브랜드 실패하는 브랜드(길벗, 2023)
- 이성재, 기획자의 노트(길벗, 2018)
- 안성은, 믹스(더퀘스트, 2022)
- 장문정, 그 사람이 말하면 왜 사고 싶을까(21세기북스, 2021)
- 김도윤, 유튜브 젊은 부자들(다산북스, 2019)
- 도리토리, 유튜브로 월급 만들기(2018)
- 최은희, 100명의 1인 기업가를 만든 SNS 퍼스널브랜딩 비법 (나비의활주로, 2023)
- 복주환, 생각정리기획력(천그루숲, 2019)
- 내성적인 건물주, 저는 이 독서법으로 연봉 3억이 되었습니다 (메이트북스, 2023)

- 데루야 하나코, 로지컬씽킹(비즈니스북스, 2019)
- 자청, 역행자(웅진지식하우스, 2022)
- 게리 켈러, 원씽(비즈니스북스, 2013)
- 가미오카 마사아키, 부자들의 초격차독서법(썸앤파커스, 2021)
- N잡하는 허대리, N잡하는 허대리의 월급독립스쿨
  (토네이도, 2020)
- 인나미 아쓰시, 1만권의 독서법(위즈덤하우스, 2017)
- 최승필, 공부머리독서법(책구루, 2018)
- 촉촉한 마케터, 내 생각과 관점을 수익화하는 글쓰기
  (초록비책공방, 2022)
- 세스고딘, 마케팅이다(썸앤파커스, 2019)
- 탁정언, 죽이는 한마디(위즈덤하우스, 2009)
- 게리 바이너척, 크러쉬잇 SNS로 열정을 돈으로 바꿔
  라(천그루숲, 2019)
- 장은진, 내 이름으로 먹고 삽니다(딥앤와이드, 2023)
- 김호진, 뇌과학 독서법(리텍콘텐츠, 2020)
- 신정철, 메모독서법(위즈덤하우스, 2019)
- 최하나, 평범한 SNS로 월 100벌기(더블엔, 2023)
- 권성애, 무자본으로 팔리는 전자책 쓰기(써니에듀, 2023)
- 대니얼 카너먼, 생각에 관한 생각(김영사, 2018)
- 이선미, 마케터의 글쓰기(앤의서재, 2022)
- 이혜진, 서평 쉽게 쓰는 법(더블엔, 2023)
- 전상훈, 최서연, 챗GPT질문이 돈이되는 세상(미디어숲, 2023)

- 리더인, 초보운전, 서툴지만 나아지고 있어
  (스토리위너컴퍼니, 2023)
- 안예진, 독서의 기록(퍼블리온, 2023)
- 박혜정, 엄마는 오늘도 유튜브로 출근한다(이봄, 2020)
- 김진영, 디지털 부업 50가지(굿인포메이션, 2021)
- 정현주, 어쩌다 보니 SNS마케팅으로 월 1,000을 버는 사람이
  되어버렸다(황금부엉이, 2023)
- 김난도 외 10, 트렌드코리아 2024(미래의 창, 2023)

[문장 인용 도서]

- 무라카미 하루키, 도시와 그 불확실한 벽(문학동네, 2023)
- 이치조 미사키, 오늘 밤 세계에서 이 눈물이 사라진다 해도
  (모모, 2022)
- 김혜남, 만일 내가 인생을 다시 산다면(메이븐, 2023)
- 미노와 고스케, 미치지 않고서야(21세기북스, 2019)
- 류시화, 지금 알고 있는 걸 그때도 알았더라면(열림원, 2014)
- 윤정은, 메리골드의 마음세탁소(북로망스, 2023)
- 어니스트 헤밍웨이, 노인과 바다(시공사, 2012)
- 헤르만 헤세, 데미안(민음사, 2009)
- 하태완, 모든 순간이 너였다(위즈덤하우스, 2018)